WSZYSTKO DLA CIEBIE

79 736 693 2

Joanna Sykat

WSZYSTKO DLA CIEBIE

Redakcja
Karolina Borowiec

Skład i łamanie
Mateusz Czekała

Projekt okładki
Iza Szewczyk

Zdjęcie na okładce
Copyright © depositphotos.com/mcgphoto

Wydanie 1

ISBN 978-83-7674-227-4

Wydawnictwo Replika
ul. Wierzbowa 8, 62-070 Zakrzewo
tel./faks 061 868 25 37
replika@replika.eu
www.replika.eu

Druk i oprawa: WZDZ - Drukarnia „LEGA"

Dziękuję:
Synusiowi — za wyspy szczęśliwe i inspirację
Monice — za doping i wiarę w Agatę

Monika

To gdzie jest ten kąt miłości? 16:05:22

Agata

Podobno zależy to od szkoły Feng Shui, której wytycznymi się kierujesz. 16:06:55

Jedna mówi, że w płd-zach części domu lub pomieszczenia, a druga, że zawsze w prawym górnym rogu od wejścia.

Monika

To łatwiej chyba z tym górnym prawym rogiem. 16:08:00

No ja mam go akurat w kuchni. Wypada na lodówce, heh. I to by się zgadzało, bo jakoś tak między nami chłodniej od paru miesięcy.

Agata

Nic nie mówiłaś...? 16:08:40

Monika

Eee. Po co? Siedem lat małżeństwa, pierwszy kryzys. Normalka. 16:09:28

Nie słyszałaś?

Agata

z/w 16:10:04

Uff, ja dopiero cztery lata, to jeszcze trochę spokoju mam :) 16:28:36

No, ale wracając do tematu: u mnie w rogu związków stał komputer, zalęgła się sterta gazet i plątanina kabli. A Feng Shui mówi, że nie ma nic gorszego niż bałagan, który powoduje stagnację, bierność itp.

Więc gazety poszły weg, a komputer z kablami pojechał w inne miejsce.

Monika

I to wszystko? 16:29:02

Agata

No nie – jak już posprzątałam, to powiesiłam na ścianie zdjęcie z początku naszej znajomości. Można też w tym kącie ustawić parzyste przedmioty, kojarzące się z uczuciami, świece itp. 16:30:15

Monika

I co? Zmieniło się coś? Poprawiło? 16:30:53

Agata

Jeszcze nie. Trzeba trochę poczekać na rezultaty. 16:31:31

Monika

To mówisz, że trzeba tam dać coś parzystego? 16:32:25

Agata

Tak, w tym artykule jest szereg propozycji. Czekaj, przekleję Ci ten fragment. 16:33:45

Przyciskiem myszy podniosła na pulpit czytany przed chwilą artykuł. Szybko zaznaczyła odpowiednią część i wróciła do komunikatora. Kliknęła: „Wklej" i wysłała tekst Monice.

Monika

Co Ty mi przysłałaś? :D 16:35:06

Agata zerknęła w okno dialogowe, przebiegając wzrokiem tekst.

Agata

To nie ma znaczenia, czy masz dzieci, czy nie. Zresztą właściwie ma. 16:34:54

Marzę, aby usłyszeć słowo: „tato”...

Monika

Agata? Co to jest?...... 16:36:19

Agata

Nie wiem. Musiałam coś źle przekleić po prostu. Spróbuję jeszcze raz. 16:38:01

Tym razem uważnie skopiowała fragment tekstu i wysłała go Monice.

Monika

Dzienks. Nic się nie zmieniłaś :D. Ciągle jesteś tak samo roztrzepana. 16:39:07

Dobra, uciekam teraz czytać i poprawiać życie uczuciowe. Pa.

Agata

Pa. 16:39:23

Machinalnie zamykała otwarte strony, komunikator i dokumenty tekstowe, zastanawiając się, skąd pochodziły trzy zdania, które przypadkowo wkleiła Monice. Wpatrywała się w upstrzony ikonkami pulpit i miała wrażenie, że pod którąś z nich tyka bomba. Trzymała dłoń na myszce, ale bała się już klikać w cokolwiek. Dlatego po kilku minutach stuporu zrobiła jedyną rzecz, która jej nie przerażała. Wyłączyła laptopa i wyszła z pokoju.

Niewiedza jest błogosławieństwem — myślała, próbując się skupić na przygotowaniu obiadu.

Kroiła warzywa i obierała ziemniaki z uczuciem rozpychającej się w gardle kluchy. Nóż wyleciał jej parę razy z ręki, obierzyny ziemniaka trafiały poza kosz. Nie mogła i nie chciała na niczym się skoncentrować; wszystko wydawało się mało ważne w porównaniu z utratą bezpieczeństwa i pewności jutra. Kawa była wstrętna, książka niezrozumiała, a program w TV zbyt poważny. Kot plątał się bez sensu, czas płynął wolno — jak nigdy wcześniej. Agata nie była w stanie znaleźć sobie miejsca; czuła obezwładniający niepokój.

W nocy było jeszcze gorzej. Leżała obok Kuby i nie mogła zasnąć. Organizm zachowywał się jak po zdwojonej dawce kofeiny; sen nie przychodził, przez głowę przelatywały strzępki myśli i obrazów, a wygłodzony żołądek ścisnął się w supeł. Bez końca analizowała dzisiejsze zachowanie Kuby i doszła do wniosku, że nie różniło się ono niczym od tego z wczoraj, przedwczoraj i miesiąca temu. Pocałunek w policzek na dzień dobry, obiad zjedzony nad gazetą, zdawkowe odpowiedzi na pytania i duża dawka komputera na zakończenie dnia. Nieraz próbowała podejrzeć, czym się wtedy zajmuje, ale ilekroć przechodziła obok, spuszczał okna na pasek zadań.

Wczoraj do łóżka przyszedł grubo po północy. Zawinął się w kołdrę i obrócił plecami, a gdy próbowała się przytulić, warknął, że jest śpiący.

Agata wstała bardzo zmęczona. Na zmizerowanej twarzy odgniotły się linie poduszki, pod oczami miała sińce. Żołądek buntował się jednocześnie z głodu i stresu, więc zjadła kawałek banana i popiła jogurtem, krzywiąc się z obrzydzenia.

A potem, krążąc nerwowo po pokojach, szukała czegokolwiek — dowodu na to, że ma rację, lub że jej nie ma. Najpierw wybebeszyła szuflady Kuby. Nie znalazła niczego podejrzanego, oprócz kilku par bokserek. Obróciła w rękach kolorowe szmatki. Wcześniej nie chciał nosić takich gatek; twierdził, że jest mu w nich niewygodnie. Wzruszyła ramionami i włożyła bokserki z powrotem do szuflady. W końcu trudno na podstawie majtek podejrzewać męża o zdradę.

Nieco uspokojona, po raz pierwszy przejrzała prywatne rzeczy Kuby. Trochę narzędzi, płyt, książek, z których nie wypadło żadne zdjęcie. Nie był typem chomika; przechowywał tylko rzeczy niezbędne, będące w ciągłym użyciu. Co roku przeprowadzał tak zwaną akcję *no mercy* i pozbywał się tego, co się popsuło lub przestało być przydatne.

Nie było to takie głupie. Agata od jakiegoś czasu interesowała się sztuką Feng Shui, która wyrzucanie rzeczy starych, nielubianych i niedziałających traktowała podobnie jak Kuba. Z tym, że Kuba nazywał to zdrowym rozsądkiem, naśmiewając się z jej wiary w owe „czary-mary". Czary-mary czy zdrowy rozsądek, Agacie spodobała się teoria sprzątania, odśmiecania domu. Według niej, przestrzeń robiła się i bardziej czysta, i gotowa na przyjęcie rzeczy nowych, ładnych i lubianych.

Agata przetestowała tę zasadę, biorąc na cel swoją garderobę. Na dwóch głębokich półkach i drążku znajdowało się sporo ubrań, tych lepszych i tych domowych, gromadzonych latami. Pomimo tej ilości, często miała wrażenie, że nie ma co na siebie włożyć, lub że jej rzeczy są nieciekawe i znoszone. Przez dłuższy czas wahała się między przywiązaniem i potrzebą gromadzenia na przyszłość, a chęcią pozbycia się tego, co zbędne.

Z pomocą przyszło jej *no mercy*. Pewnego dnia stanęła przed półkami i wygarnęła z nich wszystkie rzeczy. Wymyła sosnowe deski i zaczęła segregację ubrań. Nielubiane, nienoszone przynajmniej dwa lata — do wora. Po zakończonej operacji worek był pełny, a półki i wieszak puste w połowie. W ciągu paru dni braki uzupełniły się widocznie — ku zadowoleniu Agaty — o świetne spodnie, kilka bluzeczek i dwa ciepłe swetry. Kuba też wywiózł sporo ubrań do kontenera, ale widać u niego Feng Shui nie działało, skoro kupił tylko bokserki.

No właśnie: bokserki. Poza nimi Agata nie znalazła absolutnie nic. W zamyśleniu zaczęła ssać końcówkę warkocza. Nic, poza tymi trzema zdaniami, które wzięły się nie wiadomo skąd i zachomikowały w pamięci komputera. Kto chce być tym ojcem? Kuba? I kto był adresatem takich wynurzeń?

To jakaś bzdura. Przecież jej małżeństwo było szczęśliwe! I trwałe. Przecież wszyscy...! Ale nie jej Kuba! Pamiętała spojrzenia Justyny i Moniki, gdy podczas przerwy między zajęciami wyciągała pudełko śniadaniowe, w którym leżały pokrojone jabłka, słupki marchewek, oraz czerwone winogrona. Dziewczyny wzdychały jedna przez drugą:

— Ty to masz szczęście! Mój Adrian w życiu mi śniadania nie zrobił.

— A mój to tylko potrafi jakieś toporne kanapki czasem zrobić.

Uśmiechała się wtedy z zadowoleniem osoby, która wygrała należny jej los na loterii. Kuba umiał o nią dbać. Wiedział, kiedy podać sweter, zrobić herbaty i pomasować zziębnięte stopy. I był. Po prostu zawsze był.

Więc nie. Nie jej Kuba. Absolutnie każdy, tylko nie on. Z tą myślą włączyła komputer, żeby się wreszcie uspokoić i wyjaśnić zagadkę owych nieszczęsnych trzech zdań. Laptop zaczął cicho szumieć, po czym zaniebieścił się pulpitem.

Przez chwilę Agata zastanawiała się, od czego zacząć. Zdecydowanie nie była specem od komputera, a jej możliwości ograniczały się do wstukiwania literek w dokumenty tekstowe i szperania w necie. Była jednak sprytna, pomysłowa i miała intuicję, co często pozwalało jej osiągnąć założony cel. Wczoraj, kiedy niechcący wysłała Monice ten tekst, rozmawiała z nią przez komunikator. Korzystali z niego razem z Kubą, więc Agata postanowiła zacząć od Gadu-Gadu. Spróbowała zalogować się na profilu Kuby, ale na ekranie wyskoczyło okienko z prośbą o wpisanie hasła.

— Hasło? — zdziwiła się niemile. — Przecież jeszcze niedawno go nie było.

Rozczarowana, mogła tylko przejrzeć listę znajomych męża. Gwoździu, Krzysiek, Marek, Melman, Szajbus, Karolina, Mirka (znajome z pracy), Kaśka, Dorota (z podwórka). Innych imion i nicków nie kojarzyła. Powoli przejrzała listę jeszcze raz, zatrzymując wzrok na wpisanej na pierwszym miejscu KatJi. Nick niepokoił, zastanawiał. KatJa, KatJa... Nigdy nie słyszała o niej nic od Kuby.

Żołądek Agaty znowu skręcił się z nerwów. Powróciły niepokój i przeczucie, że jednak coś jest nie tak. Nerwowo próbowała złamać hasło do profilu, ale upiorne siedem gwiazdek nie przywodziło jej na myśl nic konkretnego.

— Cholera jasna! — Uderzyła dłonią w mysz.

Przypadkowo naciśnięty prawy przycisk rozwinął okienko z aktywnymi i nieaktywnymi możliwościami komunikatora. Przejrzała opcje i widząc wśród nich archiwum, zdenerwowała się jeszcze bardziej.

Co mi po nim, skoro nie mam hasła, pomyślała zirytowana, klikając jednak tę opcję.

Nie wierzyła własnym oczom: archiwum, mimo nieaktywnego profilu, było dostępne. Przejrzała szybko rozmowę z Markiem i Szajbusem, zerknęła w zawodowe pitu-pitu z Mirką i w końcu dotarła do KatJi. Tych rozmów było najwięcej. Przewinęła pierwszą z nich:

Kubi

Jesteś? 2009-06-01 23:09:45

KatJa

Jestem :) 2009-06-01 23:09:53

Kubi

Tęskniłem, wiesz? 2009-06-01 23:10:11

KatJa

Wiem :) 2009-06-01 23:10:23

Kubi

Ty też? 2009-06-01 23:10:43

KatJa

Ja też :D 2009-06-01 23:10:59

Więc jednak. Więc jej Kuba...

Agata rozpłakała się. Litery kolejnej rozmowy zaczęły się rozmazywać przed jej oczami. Czytała jednak dalej.

Kubi	
Śniłaś mi się... Twoje piękne oczy...	2009-06-09 00:13:45
KatJa	
Proszę, nie kończ. Masz żonę	2009-06-09 00:15:23
Kubi	
I co z tego? Nic do niej nie czuję. Ty jesteś inna, interesująca, fascynująca. Tak bardzo chciałbym się spotkać, poznać Cię, być z Tobą.	2009-06-09 00:17:59
KatJa	
Kuba, ja mam dzieci. Muszę myśleć także o nich.	2009-06-09 00:18:45
Kubi	
To nie ma znaczenia, czy masz dzieci, czy nie. Zresztą właściwie ma. Marzę, aby usłyszeć słowo: „tato”...	2009-06-09 00:20:21

No tak. Znalazła brakujący puzzelek. Rozwiązała zagadkę trzech zdań. To jednak jej Kuba chciał być ojcem... Tylko jakoś dziwnie nigdy jej o tym nie wspominał. Widocznie nie była przewidziana w planach jako matka jego potomstwa. To dlatego ostatnio wręcz unikał zbliżeń albo bardzo się podczas nich pilnował.

Właściwie wiedziała już wszystko, ale masochistycznie doczytała resztę korespondencji.

Kubi

Dziękuję za załącznik w mailu. Sprawiłaś mi piękny prezent na początek dnia. Patrzyłem na Ciebie co pięć minut, jak wariat. Brak mi słów, taka jesteś piękna.	2009-06-12 22:56:07

KatJa

A Twoja żona nie jest?	2009-06-12 22:56:56

Kubi

To nie ma znaczenia. Z nią łączy mnie tylko wspomnienie czterech pięknych lat. Teraz nic już z tego nie zostało. Nie patrzę na nią pod kątem urody. Nie kocham jej już.	2009-06-12 22:58:34

Kubi

Jesteś?	2009-06-12 23:10:18

Kubi

Znów mi uciekłaś bez słowa ;(	2009-06-12 23:24:24

Trzeba faktycznie sięgnąć dna, żeby się zdołować całkowicie. Agata odczytywała raz po raz ostatnie słowa Kuby, niezdolna myśleć, oddychać, być. Miała wrażenie, że jej ciało zostało skrępowane mocnym sznurem, który coraz bardziej zaciskał się na brzuchu i klatce piersiowej.

Kubi

Codziennie, gdy jadę do pracy, patrzę na Ciebie. I wiesz? Jestem bardzo zazdrosny, gdy widzę, jak inni mężczyźni gapią się na Twoje zdjęcie. Jesteś taka sexy w tej bieliźnie... — 2009-06-15 23:58:02

KatJa

:) :D — 2009-06-15 23:58:10

Kubi

Zasnę dziś z Twoim obrazem pod powiekami... Bardzo dobrej nocy :) — 2009-06-15 00:00:10

W radiu Wodecki z Sośnicką śpiewali, jak to z sobą chcą oglądać świat. Agata siedziała nieruchomo przy komputerze i miała wrażenie, że piosenka odbija się echem po jej pustej w tej chwili głowie. Znienawidziła ją w parę sekund.

A Kuba chce oglądać świat z KatJą — myślała tępo. Chce oglądać KatJę. Ogląda ją codziennie...

To był absolutnie wystarczający powód do dalszego płaczu. KatJa równała się końcowi świata. Bezpiecznego, szczęśliwego świata. Agata przypominała sobie własne słowa z godzinnych rozmów z Moniką. Jestem tak absurdalnie szczęśliwa, mówiła, że aż skóra cierpnie mi na myśl, jaką cenę kiedyś za to zapłacę. I to „kiedyś" właśnie się rozpoczynało. Rozpoczynało od paru słów, przypadkowo „zapomnianych" w pamięci komputera i teraz odpalonych, niczym lont, prostą operacją „Kopiuj" — „Wklej".

Tofi wyczuła rozpacz właścicielki. Rozwinęła się z sennego, srebrzystego kłębka, położyła łebek na łapach i wpatrzyła w Agatę, która zachłystywała się płaczem, wycierając co chwilę cieknący nos. W ciągu paru minut zużyła całą paczkę chusteczek, ale ból nie zelżał ani odrobinę.

Potem było już tylko gorzej. Kuba wrócił spóźniony z pracy.

— O co znowu chodzi? — zapytał niechętnie, ściągając sweter.

Nie wyglądał, jakby oczekiwał odpowiedzi, więc mu jej nie udzieliła. Milczała dobrą chwilę, zastanawiając się, jak powinna rozpocząć rozmowę i czy ogóle powinna ją zaczynać. Pomógł jej w tym Kuba. Podszedł do sofy, na której tkwiła, i usiadł na brzegu.

— Ostatnio nie umiemy się porozumieć — powiedział. — Chyba chciałbym się wyprowadzić.

— O czym ty mówisz? — Spojrzała na niego przerażonymi oczami.

— O tym, że za chwilę się wyprowadzę.

— Kuba... Ja nie rozumiem... — plątała się, usiłując zebrać myśli.

Wzruszył ramionami.

— Czego nie rozumiesz? Wyjmę zaraz torbę z garderoby, spakuję najpotrzebniejsze rzeczy i wyjdę. Po resztę przyjadę w najbliższych dniach.

— Ale...

— Zostawiam ci samochód i dom. W zamian za to biorę trzy czwarte pieniędzy z konta.

— O czym ty mówisz?! — wreszcie udało się jej wpaść mu w słowo. — Przecież... przecież było nam dobrze, byliśmy szczęśliwi!

Pochylił się do przodu tak, że widziała bardzo wyraźnie jego wykrzywione cynizmem rysy.

— Byliśmy? Kiedy się wreszcie nauczysz, żeby nie mówić za innych?! Ja z tobą nigdy nie byłem szczęśliwy! Mam dość ciebie i tego miejsca!

— Kuba — prosiła — to na pewno kryzys, to dlatego wszystko widzisz w ciemnych barwach. Ludziom zdarzają się kryzysy. Ja nie chcę się z tobą rozstawać, kocham cię! — z trudem panowała nad własnym głosem.

Mąż wstał i spojrzał jej prosto w oczy.

— Ale ja cię nie kocham. Zrozum to w końcu. Duszę się w tym związku. — Splótł ręce na piersiach.

— Jak to: nie kochasz? Przecież jeszcze niedawno mówiłeś co innego...?

— Mówiłem, mówiłem — rozmawiał z nią jak ze swoją niezbyt inteligentną podwładną. — Człowiek mówi różne rzeczy w imię świętego spokoju. Tylko nie zaczynaj znów się piczyć — ostrzegł ze złością, widząc, że zaczyna się jej trząść podbródek. — Rozwód to nie koniec świata.

Agata płakała już otwarcie. Godność osobista i opanowanie były ostatnimi rzeczami, o których mogłaby teraz myśleć.

— Rozwód...? Jak to: rozwód?

— Przestań dramatyzować. — Kuba wstał i zaczął wyjmować z szafy ubrania. — Ludzie się rozstają, ani my pierwsi, ani ostatni. To dobry moment. Jesteśmy jeszcze dość młodzi, żeby ułożyć sobie życie na nowo.

— Porozmawiajmy, proszę. — Agata próbowała oderwać go od walizek i posadzić na sofie.

Szorstko uwolnił się od jej rąk.

— Nie mamy o czym. Mam ci jeszcze raz powtórzyć, że cię nie kocham, nigdy nie kochałem? Że nie chcę z tobą być?

— Ale jesteśmy małżeństwem i...

— To dla mnie nic nie znaczy. Zostaw mnie teraz w spokoju. Pozwól mi się spakować i rozstańmy się jak dorośli ludzie. Wkrótce wystąpię o rozwód i przestanie nas łączyć nawet ten tak ważny dla ciebie papierek. — W jego głosie słychać było drwinę.

Agacie szumiało w głowie. KatJa, rozwód, rozwód, KatJa, nigdy cię nie kochałem, nie kocham, nie chcę z tobą być, nie kocham cię. Przez parę chwil siedziała w milczeniu, patrząc, jak jej mąż spokojnie pakuje cztery lata życia do toreb.

— To przez tę dziewczynę? — zapytała w końcu. — Tak?

Spojrzał na nią tak, jakby chciał o coś zapytać, ale zrezygnował i odpowiedział:

— Ona tylko pomogła mi wszystko poukładać i podjąć decyzję. Jestem jej wdzięczny. I być może nawet coś więcej.

— Zdradziłeś mnie, ty gnoju! — krzyknęła. — Świeże sitko na kołek i stara żona już be?!

Skrzywił się z niesmakiem.

— Nigdy nie miałaś klasy. To jeszcze jedna rzecz, która mnie w tobie drażniła. Ale jeśli ci to do czegoś potrzebne — dodał po chwili — to wiedz, że *jeszcze* cię nie zdradziłem.

Agata jakby odżyła. Roześmiała się przez łzy.

— Czyli nic się nie stało! Nic, czego nie można by naprawić! — W jej głosie słychać było wyraźną ulgę.

— Czy dla ciebie tylko zdrada usprawiedliwia rozstanie, tępa idiotko? — Kuba podniósł głos. — To, czy cię zdradziłem, czy nie, niczego nie zmienia.

Agata uspokoiła się momentalnie i wyprężyła jak struna.

— Czy do listy moich wad chciałbyś jeszcze coś dorzucić? — warknęła ostro. — No, wal śmiało, żebym miała pełny obraz tego, jak bardzo jestem beznadziejna.

— Proszę bardzo. — Opierał się o stół i uśmiechał szyderczo. — Znasz to powiedzenie, że kobieta powinna być dobrą kucharką w kuchni, dziwką w łóżku i damą na salonach? Niczego z tych rzeczy nie da się powiedzieć o tobie, mała, nudna dziewczynko z zapałkami. Wystarczy?

Powoli wypuściła powietrze z płuc.

— Teraz już wystarczy.

Pozwoliła mu się spokojnie spakować, w ciszy trawiąc to, co usłyszała. Nie ruszyła się też, kiedy rzucił jej: „cześć" i wyszedł z pokoju. Za to Tofi zeskoczyła z fotela i, miaucząc, wbiła pazury w jego spodnie.

— Ona nie chce, żebyś odchodził — powiedziała cicho Agata.

Kuba odsunął kota od siebie.

— To tylko zwierzę. Przyzwyczai się, zapomni.

— A jednak zwykły z ciebie skurwysyn! — Agata wzięła Tofi na ręce i trzasnęła drzwiami za plecami Kuby.

Zszokowała ją jego bezduszność, cynizm. Przecież lubił Tofi. W jeden dzień zmienił stosunek i do niej, i do kota?! Nie rozumiała, nic z tego nie rozumiała. Nie mogła ogarnąć wyprowadzki, rozwodu i tego, że po raz pierwszy Kuba zachowywał się w tak zimny, okrutny sposób. Wydawało jej się, że pięć lat to wystarczająco długo, aby dobrze poznać drugiego człowieka. Ale czy mogła w takim razie uznać, że dobrze poznała Kubę?

Stała ogłupiała z Tofi na rękach, przyglądając się sobie w lustrze. Mała, nudna dziewczynka z zapałkami. I z kotkiem na rękach. Jak uroczo! Jak słodko!

Dziewczynka ma trzydzieści pięć lat i warkocz prawie do pasa. I duże, teraz zbyt duże oczy w chudej buzi. W wymizerowanej, czerwonej, brzydkiej buzi skrzywdzonego dziecka, któremu zabrano cukierka. Dziecko ma na sobie poplamioną łzami niebieską bluzeczkę i dżinsy. Na paluszku, zamiast pierścionka z serduszkiem, obrączka. Agata patrzy na nią zdumiona. Małe dziewczynki nie noszą przecież obrączek.

Wypuszcza Tofi z ramion i gwałtownie zdejmuje złote kółko, obcierając sobie kostkę palca. Przez chwilę patrzy na porysowany metal.

— Widzisz? Obrączka jest okrągła — przedrzeźnia słowa babki. — Nie można jej przerwać. Obrączka jest okrągła. Nie można jej przerwać. *Nie można* jej przerwać...

Brzdęk. Symbol nierozerwalności toczy się szybko pod wąską szafę. Kawałek złota wyzywająco błyszczy zza nogi mebla. Agata wpycha go czubkiem buta w zakurzoną ciemność i znowu zaczyna płakać.

Szkoda, że nie można było tak łatwo zepchnąć w niepamięć wspomnień. Pierwsza noc bez Kuby była najgorszą w życiu Agaty. Jej ciałem wstrząsały niedające się opanować dreszcze, a gonitwa myśli nie pozwoliła zmrużyć oka ani na chwilę. Przez głowę bez końca przelatywały obrazy i dźwięki minionego dnia. Dziewczynka z zapałkami! Nie kocham cię! „Z tobą chcę oglądać świat"! To tylko kot! Jesteś nudna! Dziewczynka z zapałkami! „Z tobą chcę oglądać świat"!

Przewracała się bezradnie z boku na bok w pustym łóżku. Próbowała zawołać do siebie Tofi, ale kocica leżała nieruchomo w fotelu i patrzyła przed siebie. Na zrezygnowanej mordce malowało się tyle smutku, że Agacie zrobiło się jeszcze ciężej na duszy. Nie przypuszczała, że zwierzę może aż tyle rozumieć i być aż tak bardzo przywiązane do człowieka. Kuba przeprowadził ostatnią w ich wspólnym życiu akcję *no mercy*. Tylko, że tym razem dotyczyła ona nie rzeczy, ale jej samej i Tofi.

***

Tak się Agacie rozpoczął lipiec.

Trudny, samotny lipiec, w którym zaczęła na nowo budować swoje życie. Pierwsze dni i noce były bardzo trudne, jednak potem ból jakby trochę zelżał. Nie pozwoliła złym myślom uwięzić się w łóżku i w domu. Wstawała wcześnie, myła się, ubierała i jadła śniadanie. A potem sukcesywnie sprzątała dom, wymiatając z niego każde wspomnienie Kuby.

W końcu zmiany powodują zmiany — myślała, z furią przetrzepując pomieszczenia.

Jeszcze miesiąc temu nie zakładała, że zmiany mogą być nie tylko na lepsze, ale i na gorsze. Porządkując i ożywiając kąt związków wprowadziła tam nową energię, której jakość wyrzuciła Kubę z domu.

Czasem sprawy mogą przybrać obrót zupełnie niezgodny z naszymi oczekiwaniami, doczytywała teraz ze zrozumieniem. I to też jest zmiana, która musiała się pojawić, by dać impuls do następnego działania.

Przyjęła to do wiadomości i zostawiła. Nie miała na razie ochoty na żaden impuls. No, z wyjątkiem tego do sprzątania. Miała do dyspozycji całe dnie, ponieważ jej praca zakładała przerwę wakacyjną. Tyle, że w tym roku skończyła się jej umowa na czas określony, co znaczyło, że część sierpnia będzie musiała poświęcić na szukanie nowego zatrudnienia. Na razie była to jednak ostatnia rzecz, która ją interesowała, a rezerwy na koncie sprawiały, że nie musiała się martwić o swoją i Tofi egzystencję przez jakieś pół roku.

Toteż się nie martwiła. Zapewniła sobie najlepszą autoterapię, sprzątając otoczenie, co miało zaowocować uporządkowaniem jej wnętrza.

Tydzień po wyprowadzce Kuby zaczęła od łóżka. Feng Shui mówiło, że łóżko należy zmieniać po śmierci partnera i po rozpadzie związku ze względu na negatywną energię skumulowaną w meblu. To jednak było niemożliwe. Łóżko w ich małej sypialni było przymocowane do ściany. Trzy lakierowane na ciemno deski tworzyły ramę wypełnioną robionym na zamówienie materacem. Co więcej, wezgłowie było połączone z framugą drzwi sękatym pniem drzewa, pomalowanym na ten sam kolor, co rama. Gdy kupowali ten dom, właśnie to niebanalne łóżko urzekło ich najbardziej. Oprócz niego w sypialni mieścił się jeszcze tylko zielony piec kaflowy i fotel z wysokim zagłówkiem. Małe, szprosowane okienko dawało widok na czereśnię.

Trudno było więc cokolwiek zmieniać w tym minimalistycznie doskonałym wnętrzu. Agata tylko posprzątała pokój, a na łóżku położyła gruby zielony pled i parę poduszek w pomarańczowych powłoczkach. I oczywiście zdjęła ze ściany ich wspólne zdjęcie. Przez chwilę patrzyła na siebie i męża. Zmienili się oboje. Po wyprowadzce Kuby u niej pojawił się jakiś zacięty grymas w kącikach ust, jemu zmieniły się oczy — z roześmianych w surowe, nieprzyjemnie przeszywające człowieka.

To ciekawe, pomyślała, wkładając zdjęcie do pudła, jak można się postarzeć, tak naprawdę się nie starzejąc.

Inne pomieszczenia nie przywoływały już tylu wspomnień. Agata sprzątnęła je tylko z kurzu i drobiazgów Kuby, które zapełniły aż dwa pudła. Wystawiła je do przedpokoju i wysłała mu SMS-a: *Twoje rzeczy leżą w pudłach, w przedpokoju. Mógłbyś odebrać je jak najszybciej? I uporaj się też z ubraniami, proszę. Jutro przez cały dzień nie będzie mnie w domu. Klucze zostaw tam, gdzie zwykle.*

Odpowiedź przyszła po paru minutach: *Szybko wyrzucasz mnie ze swojego życia, co tylko upewnia mnie w tym, że podjąłem słuszną decyzję.*

Wzruszyła ramionami, odkładając komórkę. No pewnie, próbuje teraz zrzucić winę na nią i tym samym rozgrzeszyć siebie.

Naprawdę, bolało jakby mniej. Z perspektywy miesiąca Agacie zdawało się, że Kuba to najbardziej obcy na świecie człowiek. Że była z nim tak dawno, że prawie nigdy, a odkubiona przestrzeń potęgowała to wrażenie. Aby zatrzeć ostatni ślad, uporządkowała jeszcze komputer, kasując wszystkie foldery, dokumenty i programy Kuby. Z pulpitu zniknęło też wspólne zdjęcie, które Agata zastąpiła własnym portretem, zrobionym u fotografa.

To już wszystko, pomyślała jednak ze smutkiem,

usuwając zawartość kosza. Szkoda tylko, że nie da się jednym kliknięciem usunąć wspomnień.

Odruchowo weszła też na pocztę i zarumieniła się z emocji, gdy w okienku pojawił się adres Kuby. Potarła twarz.

„Dziękuję za załącznik w mailu. Sprawiłaś mi piękny prezent na początek dnia. Patrzyłem na Ciebie co pięć minut, jak wariat. Brak mi słów, taka jesteś piękna" — przypomniały jej się słowa Kuby.

A gdyby tak...? Z komunikatorem jej się udało i w dodatku nie miała już kompletnie nic do stracenia. Poza resztką złudzeń, gdyby zobaczyła zdjęcie.

Tym razem hasło było dłuższe. Nawet nie próbowała go złamać. Kliknęła: „Zapomniałem hasła", żeby zobaczyć, czym Kuba boksował mózg w razie amnezji. Na widok trzech pytań parsknęła śmiechem. Zakładając, że udzielił na nie prawdziwych odpowiedzi, odblokowanie jego poczty przedstawiało się zadziwiająco łatwo.

Ulubiony kolor? Niebieski.

Imię pierwszej dziewczyny? Kinga.

Data urodzenia? 17 czerwca 1974.

„Enter" i komputer wyrzucił hasło Kuby. Prawie popłakała się ze śmiechu. Ten idiota jednak podał odpowiedzi zgodne z prawdą. Jakby nie wiedział, że Agata je zna. Zmieniła hasło z „kasia2009" na „mojkochanymaz" i otworzyła pocztę. Jej zawartość bardzo rozczarowywała. Puste skrzynki nadawcza i odbiorcza, dokładnie wyczyszczony kosz.

Już chciała zamknąć konto, gdy zauważyła folder nazwany „KASIA". Kliknęła w niego, wyświetlając chyba całą historię korespondencji Kuby z ową Kasią.

— A to romantyk! — parsknęła. — Pewnie sobie podczytywał te liściki na dobranoc. Jeszcze tu brakuje tylko różyczek, dzióbków i innych serduszek.

Nie miała siły i chęci czytać o ich wzniosłym uczuciu ani o swojej beznadziejności. Przesłała tylko całą pocztę na swój mail. Tak na wszelki wypadek. Potem obejrzała kolejny folder, ten ze zdjęciami KatJi vel Kasi. Dziewczyna była — niestety — młodsza i — jeszcze bardziej niestety — ładna. Długie ciemne włosy, ciemne oczy, egzotyczna cera i bielutkie, równe zęby. Zapewne standardowe, świetnie ucieleśnione marzenie każdego mężczyzny.

Taaa. Taka to nie wygląda na dziewczynkę z zapałkami, pomyślała z zazdrością w sercu.

Ostatnie zdjęcie, doskonałej jakości, zastanowiło Agatę. Dziewczyna, ubrana w cielistą bieliznę, leżała na brzuchu i kokieteryjnie nawijała pasmo włosów na palec. Koniec warkocza powędrował do ust Agaty. Mogłaby przysiąc, że gdzieś już tę KatJę widziała...

Zamyślona, wyłączyła komputer i wyszła na taras z kubkiem kakao. Lipcowe popołudnia były w Lipówce — tak nazwali swój dom — najpiękniejsze. Trzy lipy, jedna po lewej stronie domu, dwie za nim, pachniały oszałamiająco. Wśród aromatycznych kwiatostanów bzykliwie uwijały się pszczoły.

Za ogrodzeniem dojrzewały fale zboża, a daleko na horyzoncie zlewały się z niebem zarysy Tatr. Z lewej strony domu wiatr niósł zapach jodeł i wysypanej pod nimi kory. Taras z ciągle niedopracowaną roślinnością mieścił drewnianą huśtawkę, ławę i prostokątny stół. Pomarańczowe płytki ciepło harmonizowały z miodowym odcieniem belek domu.

Agata usiadła na huśtawce, walcząc z napływem wspomnień. Bardzo lubili tu przebywać; od wczesnej wiosny do późnej jesieni werandowali uparcie, zwinięci w koce, lub rozebrani do letniego dnia. W tym roku jednak Kuba wolał siedzieć przy komputerze. A teraz nie było go nawet obok, miała do dyspozycji tylko Tofi.

Pogłaskała kocicę po wydatnym brzuchu, zatrzymując palce w miejscu, w którym pod skórą małe Tofinki fikały koziołki. Agata zastanowiła się, jak by to było być w ciąży. Mieć pod palcami przez dziewięć miesięcy taki dar, ukryte życie. Dopóki był Kuba, nie myślała o macierzyństwie. Współczuła opuchniętym kobietom w ciąży, współczuła wózkowym matkom z zaślinionymi po pas dziećmi, z których potem wyrastali jej przyszli, często bardzo nieznośni, pupile. A jednak gdzieś na dnie serca obudziły się żal i ciekawość za tym nigdy nieprzeżytym doświadczeniem.

***

Autobus wjechał w zatoczkę. Drzwi otworzyły się, ale nikt nie wysiadał. Dopiero po chwili na schodki wyszedł pan z białym pieskiem na rękach. Kolejny dzierżył elegancki sakwojaż, a jeszcze inny asekurował panią w rdzawej garsonce. Mimo że Agata nie widziała twarzy owej damy, dałaby sobie głowę uciąć, że to jej ciotka. Nikt inny nie wywoływał tak miłego zamieszania wśród płci brzydkiej w tym sennym miasteczku. Agata przyspieszyła kroku i już po chwili witała się z krewną, składając niezbyt wylewny pocałunek na jej policzku.

— Witaj, moja droga. Cóż powiesz? — zagadnęła ciotka. — Niuniu! — Z pozorną dezaprobatą odkręcała zasmyczonego wokół jej ud psa. — Postójże chwilę spokojnie! No, już dobrze, dobrze. Tak... Wiem, że kochasz swoją panią. — Całowała białą mordkę na przeprosiny.

Ciotka Nina miała absolutnego fioła na punkcie swojego psa. W dobrym tonie było zatem zauważyć jego obecność.

— Śliczny ten twój pudelek, ciociu — zachwyciła się nieszczerze Agata. Wymyślnie obciachana pokraka budziła w niej wszystko poza zachwytem.

— Jaki pudel! — Oburzenie starszej pani sięgnęło niebios. — To jest bolończyk!

— Ach, rzeczywiście. Te dwie rasy są takie podobne... Można się pomylić.

Ciotka była poruszona jej ignorancją:

— Co też ty opowiadasz, moja droga! Między pudlem a bolończykiem jest tyle różnic, ile, nie przymierzając, między mną a tobą!

Agata wolała nie zastanawiać się nad podtekstem ciotczynej wypowiedzi. Ani chybi, jakiś był — i zapewne mało pochlebny dla niej.

— Schudłaś. — Krewna otaksowała ją spojrzeniem. — I w dodatku znowu nie masz makijażu. Prawdziwa dama...

— ...nie straszy ludzi od rana. Tylko wiesz, ciociu, jest jeden problem. Ze mnie taka dama, jak z... — Głos Agaty uwiązł w zaciśniętym nagle gardle.

— No, no? — podtrzymała temat Nina. — Widzę, że coś się stało. I czuję w tym rękę, oby nie co innego, mojego ulubieńca, Jakubka. To jak? Idziemy na pączka? Chyba, że bardzo się spieszysz...

Agata uśmiechnęła się. Jej krewna uważała dzień bez pączka za absolutnie stracony. Zapał do wypełnionych konfiturami kul zaszczepił w niej drugi mąż, wujek Franek. Podobno raczyli się nimi nieprzyzwoicie, co ciotce szło wyłącznie w endorfiny, a wujkowi już (niestety) w linię. Kto wie, jaką wagą i chorobą to upodobanie mogłoby się skończyć, gdyby nie pewne zdarzenie, które najwidoczniej dało wujkowi do myślenia.

Pracował wtedy na komisariacie policji, który do dzisiaj mieści się w starym, drewnianym budynku. Tamtego dnia, ciotka obstawała uparcie, że był to wtorek, wujek poszedł do pracy, jak zwykle. Zrobił sobie kawę, położył na talerzyku kupionego pączka, ciężko klapnął na odsunięty od biurka fotel i... sekundę później wraz z nim i podłogą znalazł się piętro niżej, przy biurku kolegi, który na szczęście tego dnia spóźnił się do pracy. Od tego czasu wujek przestał jadać pączki i przeniósł swój gabinet na parter. A jego waga, ku zadowoleniu żony, zaczęła znów wskazywać rozsądne wartości.

— Agatko? Pytałam, czy się spieszysz! — Ciotka przytupywała eleganckim pantoflem, popatrując na nią.

— Co? A nie, nie. Od miesiąca już się nie spieszę. — Dziewczynie trudno było znieść badawczy wzrok krewnej. — Właściwie to szłam na zakupy, ale równie dobrze mogę to zrobić później.

— Brzmi rozsądnie — oceniła Nina. — Zatem chodźmy, bo głodna jestem po dzisiejszych zabiegach jak psi.

Ciotka po raz kolejny oswobodziła zaplątaną wokół swoich nóg Niuńkę, wcisnęła siostrzenicy torbę do ręki i wysforowała się nieco do przodu. Agata, niczym znająca swoje miejsce dama do towarzystwa, posłusznie dreptała dwa kroki z tyłu, obserwując wyraźnie rysujący się pod spódnicą pękaty tyłek. I dałaby sobie głowę uciąć, że kołysał się on nieco zalotnie. Przedstawiciele płci brzydkiej w określonym wieku też zapewne daliby sobie za to uciąć głowę. Albo i coś innego. Z rozmarzeniem śledzili dumną ciotkę, nierzadko puszczając oczka, proponując ramię lub kawę. Za Agatą, młodszą i szczuplejszą o całe tony nielubianych przez nią pączków, nie obejrzał się nawet pies z kulawą nogą.

— Jak ty to robisz? — zapytała prawy profil ciotki, ten z lekko przymkniętym okiem.

— Co?

— No to, że tylu facetów ogląda się za tobą. Mogłabyś kolejny raz wyjść za mąż.

— A mnie po co takie stare pierdziochy? Trzech ziemogryzów wystarczy.

— Może z czwartym byłoby inaczej?

Oko ciotki otworzyło się momentalnie i łypnęło na Agatę.

— Że niby co? Miałabym umrzeć pierwsza?!

— Nie, skądże! Nie to miałam na myśli... — Przy ciotce Ninie potrafiła walić gafę za gafą. — Po prostu moglibyście...

— Kochana — ucięła krewna. — Ja mam dość wszelkich „po prostu" z mężczyznami. Noo, gdybym była młodsza, to twój Jakubek by mnie nie minął. A tak, jeśli pozwolisz, wolę całować Niuńkę, bo jej przynajmniej nie śmierdzi z pyska. — Ciotka przymknęła oko i skoncentrowała się na kręceniu tyłkiem.

Błogosławieństwo. Z Niną trzeba było żyć i w zgodzie, i dość często, więc gdy ta chwilowo nie miała nic do powiedzenia, Agata oddychała z ulgą. Zazwyczaj przegrywała z inteligentnym, śmiałym dowcipem ciotki, często z kurtuazji dla jej wieku... ale jednak.

W „Maleńkiej" było pełno klientów, ale ciotka w sekundę namierzyła wolny stolik w ogródku. Ruszyła w jego kierunku z Niuńką pod pachą i sprawnie wmanewrowała się na misterne krzesełko. Potem, przez parę minut, sprawiedliwie — w proporcji 9 do 1 — dzieliła uwagę między pączka a Agatę.

— Wiedziałam — powiedziała w końcu. — Wiedziałam. Ubrania wiszą na tobie bardziej niż zwykle, nos ci się ciągnie po ziemi, a kobiecość całkiem poszła się paść. Podał powody?

— Całą masę.

— Ale jest oczywiście ten jeden, najważniejszy?

— Yhy.

Ciotka wróciła do pączka, poświęcając mu tym razem całkowitą uwagę. Jadła estetycznie; ani jeden strup lukru czy konfitury nie kleksił jej ust i policzków.

— Taaak. — Ostatni kęs pączka zniknął za beżową szminką i Nina przywróciła się światu żywych. — Taaak. Żona może nie dać mężowi zupy, ale w łóżku musi dać dobrze dupy.

Kilka osób obejrzało się zniesmaczonych, kilka zdziwionych. Agata parsknęła śmiechem — w ustach tej eleganckiej damy, wymawiającej starą szkołą głębokie „l" zamiast „ł" zabrzmiało to... jednak adekwatnie.

— Za bardzo to się nie masz z czego śmiać. — Krewna skarciła Agatę i znów się zamyśliła.

Fakt, nie miała. Siedziała więc teraz w milczeniu,

trawiąc prawdy życiowe ciotki Niny. Może rzeczywiście za mało dbała o stronę łóżkową? Wydawało jej się, że radzili sobie całkiem nieźle w tych kwestiach, ale… to mógł być jednak tylko jej punkt widzenia. A, opierając się na mądrości ciotki, punkt widzenia zależy — widać — od punktu leżenia. Właściwie nie mogła być już pewna żadnej prawdy o swoim małżeństwie.

W torebce piknęła komórka. Agata rozsunęła zamek i zaczęła szukać telefonu. Z nadzieją, jak zwykle ostatnio. Może się opamiętał? Zrozumiał? Wraca? Odpisuje na jej proszące SMS-y, po których miała potężnego moralniaka?

Wiadomość była od Moniki. Trzema słowami informowała o tym, że za jakieś sześć miesięcy jej życie wywróci się do góry nogami. Agata zamarła, ogłupiała nad ciastem. Nie rozumiała swojej reakcji. Chyba powinna się cieszyć, ale teraz, w tym układzie, czuła się, jakby po raz kolejny usunięto jej grunt spod nóg. Poczuła w sobie jakąś niechęć i… Tak, jakąś irracjonalną zazdrość. I jeszcze zdziwienie. Adrian nie chciał mieć dzieci, Monika też jakoś nie była specjalnie prodzieciowa. I teraz Agata miała wrażenie, jakby kolejna osoba ją zdradziła, wycofała się z umowy o wzajemne wsparcie w nieposiadaniu potomstwa.

Zdobyła się na nieszczere gratulacje, stukając przyciskami pod karcącym wzrokiem ciotki. I wtedy nagle poczuła taką samotność w sercu i pod powiekami, że musiała natychmiast wyjść z kawiarni. Nina dopijała akurat kawę, więc Agata szybko cmoknęła ją w policzek i położyła na stoliku pieniądze.

— Niedługo cię odwiedzę — zdążyła jeszcze powiedzieć i prawie wybiegła z „Maleńkiej".

O zakupach już oczywiście nie myślała; machinalnie przecięła skwer oblepiony sklepami, spiesząc w stronę domu, samotna i nieszczęśliwa. Kurant na wieży kościelnej akurat ogłaszał dwunastą. Dopiero dwunastą! A przecież miało jej nie być w domu cały dzień, tak się umawiała z Kubą. Nie chciała się narażać na jego ponowny widok, na powtórkę z wyprowadzkowej rozrywki. Ta myśl nakręciła ją jeszcze bardziej i nic już nie było w stanie powstrzymać karuzeli emocji, których nie potrafiła ani określić, ani tym bardziej okiełznać. Zawsze była dość wybuchowa, nerwowa, ale teraz to nie to. Do cholery, nie to!

W biegu prawie wpadła na Głupią Laluchnę.

— Uważaj! — Kobieta odskoczyła. — Uderzysz mi dziecko!

Agata wzruszyła ramionami. A ta ciągle z tym dzieckiem! Mogłaby z powodzeniem startować w konkursie na kuriozum N lub antyherb miasta. Tak to już jest, że w małych miejscowościach dziwaków i chorych widzi się zawsze i wszędzie. W miastach rozmywają się, wtapiają w wygodne tło.

Laluchna nie była stuknięta. Taką przynajmniej opinię wystawił jej lokalny specjalista od połamanych dusz. Przez większą część roku zachowywała się w miarę normalnie, płynąc z prądem w krwiobiegu miasta. Za to w letnie miesiące dopadały ją wspomnienia, pętała natrętna *idée fixe*.

Agata zlekceważyła oburzone pomrukiwania Laluchny, tulącej do piersi niemowlę. Co ją mogła obchodzić ta baba i bachor, który nawet nie był bachorem?! Miała własne problemy. Minęło parę tygodni, a ona właściwie pozbierała się tylko zewnętrznie, na pokaz. Łatwiej było nie stawać oko w oko z prawdą, że jest się samotną kobietą bez pracy. Najwyraźniej jej własna historia nie miała zakończyć się happy endem w rodzaju: „Nareszcie zrozumiałam, jaka jestem mądra i wspaniała! Znalazłam doskonałą pracę! Przyjechał po mnie rycerz na białym koniu!". Do niej mogła przyjechać co najwyżej ciotka na białym pudlu... ekhem, bolończyku.

Agata coraz częściej wertowała książki o Feng Shui, próbując ulepszyć każdą możliwą dziedzinę życia. Upragnione zmiany nie nadchodziły. Zamiast nich pojawiły się jeszcze większy chaos i rozdygotanie emocjonalne. Gdzieś ulotniła się euforia, poczucie, że tak doskonale daje sobie radę bez Kuby. Było do dupy, po prostu do dupy.

Zmęczona psychicznie i fizycznie dotarła w końcu do domu. Trzeba zacząć jeździć. Od jutra nie będzie już: „wożąc panią Agatę". Pani Agata będzie wozić się sama, a Mr T musi przyzwyczaić się do jej rąk. W myślach obiecała mu solidne mycie i jazdę próbną. Trzeba go kobieco rozdziewiczyć, wpocić swój strach w fotel kierowcy.

Z westchnieniem otworzyła zawieszoną między dwoma modrzewiami furtkę. Poprzedni właściciel musiał mieć fantazję; zamiast osadzić wejście w którymkolwiek boku działki, umiejscowił je w ściętym rogu. Do bramki prowadziło kilka nieregularnych kamiennych schodków. Pomysł był świetny; ukośne wejście dawało piękny widok na posesję i wiodącą do niej ścieżkę.

Chwilę popatrzyła na dom i ogród, po czym odwróciła się, aby zamknąć furtkę i stanęła zaskoczona. Na schodkach siedział mały chłopiec i patrzył na nią. Nie rozpoznawała go, choć twarz wydawała jej się znajoma. Na pewno nie był od sąsiadów i chyba też nie z miasteczka. Okrągła buzia, rozchodzące się idealnie od środka głowy włoski. Pulchne łapki zajęte były niebieskim, drewnianym samolotem.

— Jak masz na imię?

Nie odpowiedział, choć dałaby sobie głowę uciąć, że usłyszała cichutkie: „Ignaś". Popatrzyła uważniej na dziecko, ale tylko się uśmiechnęło, szeroko rozciągając usta.

— Gdzie mieszkasz? Zgubiłeś się?

Był zdecydowanie za mały, aby przyjść tu sam albo jej odpowiedzieć. Bawił się tylko zabawką, sapiąc pod nosem i nadymając policzki. Były zarumienione i tak pulchne, że Agata ledwo opanowała ochotę, by ich dotknąć.

Spojrzała ponad ogrodzenie, szukając kogoś dorosłego. Jednak ani na drodze prowadzącej do miasteczka, ani na tej do lasu nie dojrzała nikogo.

Odwróciła głowę w stronę dziecka. Schodki były jednak puste. Zdenerwowana, ponownie wyjrzała na drogę. Nie było nikogo. Tylko kury od Jezierskiej rozgrzebywały pobocze w poszukiwaniu jadalnych rarytasów. Nerwowo przetarła oczy; chyba nie dopadały jej zwidy, tak jak Laluchny?

Zdziwiona, zaniepokojona tym, co widziała lub czego nie widziała, powoli zamknęła furtkę. Ostatni raz popatrzała na schodki.

Nie było na nich nikogo.

***

— Tak powiedziała? Że rozwodu nie będzie? — zdziwiła się Monika. — To co będzie?

— Nie wiem. Nie wiem — denerwowała się Agata. — Odkąd chodzę do pani Wiki, nie usłyszałam nic równie nieprawdopodobnego.

— To co dokładnie powiedziała?

— Że nie będzie nawet pierwszej sprawy, bo on nie złoży pozwu.

Brwi Moniki w zdziwieniu uniosły się w górę, ale kolejna łyżeczka gorącej czekolady bezbłędnie trafiła do jej ust.

— Więcej na ten temat nic — dodała Agata po chwili. — Ale powiedziała jeszcze, że w naszym, rozumiesz, w naszym życiu nastąpi jakaś zmiana, która całkowicie odmieni obecną sytuację. Że... — zawahała się — że właściwie ona już nastąpiła. Ale ja o tym nic nie wiem — odpowiedziała na pytający wzrok przyjaciółki.

— Hmm. — Monika z właściwą sobie flegmą wyławiała z dna filiżanki bakalie. — A jak to się skończy?

— Śmiała się, że na pewno nie rozwodem. Powiedziała, że wszystko zależy ode mnie i że... — Agata chrząknęła — będziemy mieć dwójkę dzieci. Nawet opisała je dokładnie.

Zmarszczyła brwi, pozwalając Monice zająć się tylko czekoladą, a sama zastanowiła się nad tym, co przed chwilą powiedziała. Faktycznie, pani Wiki dość dokładnie opisała wygląd dzieci, skupiając się na chłopcu, który notabene przypominał dziecko, które siedziało (czy aby na pewno?) na schodkach przed bramką.

To już chyba jakieś podwójne szyderstwo — przeleciało jej przez głowę.

Tę rewelację zostawiła jednak dla siebie. Monika jak nic obśmiałaby ją dokumentnie. Wróciła zatem do wcześniejszego tematu.

— No i sama powiedz, co może zależeć ode mnie, skoro w ciągu jednego popołudnia Kuba przekreślił nas definitywnie?

Monika z widoczną niechęcią oderwała łyżeczkę od ust.

— Rzeczywiście dziwne to wszystko. Może po prostu w to nie wierz, co?

— No nie wierzę w sumie. Przecież zależało mi, żeby wrócił. Próbowałam... Dalej mi zależy chyba. Dzieci. Taaa... dzieci to on ma już z tą KatJą.

— A coś o tej dziewczynie powiedziała?

— Owszem. Popatrzyła na zdjęcie i powiedziała, że ona jest wszędzie.

Monika prychnęła.

— Co za bzdury! Weź skończ z tymi wróżkami lepiej!

— Poczekaj, poczekaj. Dodała jeszcze, że ta laska jest bardzo rozrywkowa, i że ani myśli się wiązać. I że Kuba dostanie taką nauczkę, że długo będzie się lizał po całej sprawie.

— No i pewnie wróci do ciebie? — domyśliła się przyjaciółka.

— Właśnie nie. Powiedziała, że nasza historia będzie wyglądać zupełnie inaczej. Że to ewentualnie *ja* do niego wrócę.

— Weź przestań, Agata. — Monika parsknęła śmiechem. — Jakieś enigmatyczne bzdury. — Dokładnie zbierała łyżeczką resztki czekolady z filiżanki.

— Jak możesz tak wylizywać? Jakaś niedobra dziś ta czekolada. W ogóle tak czymś ją czuć. — Agata odsunęła swoją filiżankę i pociągnęła nosem — Masłem...?

— Wymyślasz. — Monika sięgnęła po naczynie. — To ja wypiję, dobrze?

— Porzygasz się.

— Nic innego nie robię od tygodnia. — Uśmiechnęła się zadowolona i pogłaskała brzuch.

Wyglądała bardzo ładnie. Nie, to nie było dobre określenie. Monika zawsze wyglądała bardzo ładnie, a teraz po prostu wyglądała jeszcze lepiej. Otaczała ją jakaś aura wyjątkowości, niedostępna dla innych.

— Adrian już wie?

— Jeszcze nie. — Kolejny orzeszek powędrował do ust Moniki. — Dziś mu powiem. Zobacz. — Wyciągnęła z torebki pudełeczko z małymi, białymi bucikami. — Wróci dziś z pracy po dwudziestej trzeciej, na pewno będę już spała. Zostawię mu to na półce w przedpokoju i zapalę tam lampę. — Twarz jej jaśniała na myśl o niespodziance.

Agata patrzyła na nią z zainteresowaniem. Niby

ta sama, ale jakże inna. Bliska na wyciągnięcie ręki i odległa o skondensowaną w jej wnętrzu tajemnicę.

— Jesteś szczęśliwa? — zapytała głupio.

— Pewnie.

— Ale przecież nie chciałaś mieć dzieci!

— Wiem, wiem. — Monika machnęła ręką. — Ale to się stało. I możesz mi wierzyć, naprawdę się cieszę.

Ta odpowiedź nie zaspokoiła ciekawości Agaty. Nie rozumiała, jakim cudem w tak poważnej kwestii można zmienić zdanie. Poza tym przyjaciółka nigdy nie była szczególnie rozmowna. Zamykała każdą kwestię w maksimum paru zdaniach. W tym różniły się od siebie, bo Agata mogła drążyć interesujący ją temat w nieskończoność.

— Jak się zorientowałaś? — Zrobiła bezpieczną woltę.

— Koleżanki w pracy się zorientowały — zaśmiała się Monika. — Pytały, czy sobie zrobiłam operację cycków, bo w ciągu dwóch dni zaczęły mi się normalnie wylewać ze stanika. No i zrobiłam test.

— Jesteś jak zwykle bardzo lapidarna.

— Nad czym się tu rozwodzić. — Wzruszyła ramionami. — Jestem w ciąży po prostu.

— A jak się w ogóle czujesz? — Agata próbowała dalej.

— No mówiłam ci już. Rzygam. Poza tym okej.

Agata nie dawała za wygraną.

— Ale jak się w ogóle czujesz z wiedzą, że za jakiś czas będziesz matką?

— Nie wiem. Normalnie chyba. — Monika patrzyła zdziwiona na przyjaciółkę. — Nie wiem, jak mam ci odpowiedzieć. — Spojrzała na zegarek. — A w ogóle to będę musiała się zbierać.

— Już? Wypiłaś dopiero dwie czekolady — uśmiechnęła się Agata.

— Już. Zaraz mam autobus do Krakowa. Muszę się trochę obkupić na ciężkie czasy — zażartowała.

— Nie za wcześnie?

— Patrz. — Monika podciągnęła bluzkę do góry. Agata spojrzała na jej brzuch. Był nadal płaski, ale spodnie nie dopinały się — guzik przytrzymywała zapętlona o dziurkę gumka. Niby nic, a jednak coś.

— Czujesz je już? — Agata zaryzykowała jeszcze raz, nie patrząc na przyjaciółkę.

— Coś ty! Widać, że nic nie wiesz o ciąży. Na początku tylko rzygasz. No i te piersi są inne, takie pełniejsze. Brzuch w zasadzie płaski, ale jakby większy, wrażliwszy… — szukała odpowiedniego słowa. — O, już wiem! Przeszkadzają mu guziki, ciasne gumki, rozumiesz? — Pakowała do torebki telefon, chusteczki i portfel, nie patrząc na Agatę. — Idziesz też?

— Jeszcze trochę posiedzę.

— No to pa. — Monika położyła na stoliku pieniądze i skierowała się do wyjścia.

Agata zerknęła na zegarek. Była dopiero osiemnasta z minutami. Nie chciało jej się wracać do pustego domu i na siłę organizować sobie zajęcia, byle tylko nie myśleć, byle przetrwać kolejny samotny wieczór. W kawiarni, wśród ludzi, było trochę łatwiej. Popatrzyła dyskretnie w głąb lokalu, łowiąc znajome twarze. Skaza małego miasteczka. Tu nigdy nie będzie się kimś anonimowym, po prostu nikim. W małym miasteczku zawsze jest się kimś, mordą na trwale wpisaną w krajobraz. Podobnie jak twój pies czy kot.

Więc Mietek też był ważny. Gruby, czarny półpers z gęstą szczotą ogona był karykaturalną maskotką „Maleńkiej". Pasował do nazwy jak pięść do nosa; tyle było w nim delikatności i wdzięku. Leniwy kocur stał się jednak wizytówką kawiarni, niepisanym logo i żywą reklamą, z rzadka ukazującą gościom żółte oko. Mietek — typ sybaryty spod ciemnej gwiazdy — zaanektował wewnętrzny parapet pod oknem cukierni i spędzał tam niemal cale dnie. Teraz też odsypiał swoje, więc Agata wzięła filiżankę z kawą i przysiadła się do niego.

Mietkowe towarzystwo było niewymagające i nienatrętne. Nie pytał o Kubę, nie użalał się nad nią. Nie okazywał też przesadnego zadowolenia z dotyku; był bowiem kotem, który nie mruczy. Pijał za to kawę. Najzupełniej po ludzku reagował na zapach kofeiny, opuszczając szybko senne przestworza. Otwierał oczy i domagał się ciemnego napoju, prawie wsadzając nos do filiżanki. Agata nalała mu odrobinę płynu na spodeczek.

— Bo nie zaśniesz w nocy, idioto! — roześmiała się, patrząc, jak Mietek wylizuje dokładnie ostatnie krople.

Pomyślała, że Mietek lepiej niż niejeden przedsiębiorca rozumie zasady Feng Shui w biznesie. Jeśli sprzedajesz sztuczne kwiaty, nie ozdabiaj sklepu żywymi roślinami. Jeśli masz salon opla, nie jeźdź toyotą — przypomniało się jej.

W myśl tej zasady, prostej jak konstrukcja cepa, Mietek delektował się kawą na oczach publiki, podrobowe *tête-à-tête* zostawiając sobie na potem. I najwyraźniej teraz przyszła mu chętka na coś konkretniejszego, bo leniwym krokiem odmaszerował na zaplecze, zostawiając dokładnie wylizany spodek.

Agata oparła głowę na dłoni i powoli dopijała kawę, wyglądając przez okno. Warkocz, zamiast opadać luźno, okręcał głowę. Odkryła to idealne na upały uczesanie wczoraj, podczas zmagań z Mr T. Szorowała łajdaka tak zaciekle, że ubranie okleiło jej ciało, a warkocz wlepił się w szyję i ramię. Owinęła go więc wokół głowy, przytrzymując spinką. Było dużo wygodniej i chłodniej. I ładniej, co odkryła dopiero w domu, patrząc w lustro. Nową fryzurę doceniła też Monika. Słowa: „ale świetnie wyglądasz, stara" były w jej ustach największym komplementem. Zawsze to jakaś pociecha w obecnej sytuacji.

Agata spojrzała na zegarek. Było prawie wpół do siódmej. Można powoli się zbierać, przeciągając każdą chwilę, aby dom jak najkrócej straszył wspomnieniami. Uregulowała rachunek i poszła do toalety. Najwyraźniej kawa dawała już o sobie znać.

Potem umyła ręce, zerknęła kontrolnie w lustro i wyszła z „Maleńkiej".

Był środek lata, ale żółcące się powoli na ulicy liście zapowiadały już zmęczony sierpień i pierwsze przebłyski kolorów jesieni. Jarzębina łapała coraz bardziej soczystą czerwień w owoce, a kasztany rozpychały się pod okolcowanymi łupinkami. Wszędzie czuło się suchy zapach wypalonych słońcem traw.

Późne lato było dawniej ulubioną porą Agaty. Teraz bała się jej i nadchodzącej zbyt szybko jesieni, zamierania przyrody, długich wieczorów i nocy bez Kuby. Bała się samotności fizycznej i psychicznej, bała się tych wszystkich strachów, które opadały ją nocami. Ręce Kuby szybko wyciągały ją z tych koszmarów. A potem były już jego ramiona i serce bijące prosto w jej ucho. Łatwo kołysała się, już całkiem bezpieczna, do snu.

Zaś ta noc, kiedy nie było Kuby i Agacie śnił się etatowy koszmar...

Śpi.

Ze ścian i sufitu odpadają kawałki tynku, łuszczy się farba. Nad jej głową otwiera się dziura, w której widać głowę węża. Gad zawisa nad Agatą, chwilę obserwuje ją żółtym wzrokiem. Potem spina się, cofa i skacze w kierunku twarzy.

Nie! Nie! — krzyczy Agata, próbując oderwać węża od siebie. Ostre zęby szarpią jej policzki, zamierzają się na oczy. Ból i strach mieszają się z krzykiem Agaty, dopóki Kuba nie oderwie węża od jej twarzy...

Wtedy, w tę noc, Agatę również obudził Kuba. Z daleka przekrzyczał jej głos, wołając po imieniu tak długo, aż otworzyła oczy. Do rana paliła lampkę nocną i tuliła do siebie Tofi, przerażona i zdziwiona tym, czego doświadczyła. Teraz przy najbliższej okazji będzie musiała wyśnić swój koszmar do końca, a potem długo w dzień wypluwać kulę strachu z gardła.

— O, kurrr...! — Użalanie się nad sobą momentalnie przeszło we wściekłość, kiedy zobaczyła, że drzwi Mr T są zatarasowane przez dwa duże samochody. — Mam wsiąść przez dach, czy jak, do kurwy nędzy?! — klęła głośno ludzkie chamstwo i egoizm. — Żeby tak nie liczyć się z innymi?!

Wściekła, oceniała szanse. Od strony kierowcy — najwyżej dwadzieścia centymetrów. Nie ma mowy. Od pasażera — nędzne trzydzieści. Trudno, musi dać radę. Otworzyła drzwi, mało delikatnie opierając je na sąsiednim samochodzie, a potem wgramoliła się na siedzenie. Przesunięcie tyłka na fotel kierowcy nie stanowiło już żadnego problemu.

Zapięła pas, czerwona ze złości. Adrenalina buzowała ciągle w jej żyłach, uniemożliwiając koncentrację przed drugą po znacznej przerwie jazdą. Musiała się uspokoić. A najlepiej robiło się to przez wywalenie emocji na pysk. Żadne tam liczenie do stu czy głębokie oddechy — tu potrzebne było szybkie i skuteczne działanie.

Agata włożyła rękę do torby z zakupami, które zrobiła przed spotkaniem z Moniką. Nie wiedziała, czego szuka, do momentu, gdy natrafiła na słoik z powidłami. Odkręciła wieczko i zanurzyła w nich palec. Obrzydliwa śliweczka, kupiona z rozpędu, bo Kuba lubi. Ekhem, lubił.

Uśmiechnęła się złośliwie, opuszczając szyby samochodu, a potem rozejrzała wokoło. Nikt nie nadchodził, nikt nie wychylał się z okna, więc palec Agaty pozostawił lepkie maziaje na szybach i klamkach jednego i drugiego samochodu. Potem szybko wytarła dłoń i zakręciła słoik. Powoli wymanewrowała spomiędzy krowiastych aut i spokojnie odjechała w dół Kasztanowej.

Trasę opracowała dokładnie w domu. Żadnych rond czy większych skrzyżowań w N nie było, a wszelkie skręty w lewo starannie wyeliminowała. Mimo tego i tak spociła się jak mysz. Zaraz za ogrodzeniem domu fotel przylepił się do jej tyłka i pleców, a Mr T robił żabę przez kilkaset metrów, odwdzięczając się za niewprawne użycie sprzęgła. Mimo to nie poddała się. Dojechała do miasteczka i centymetr po centymetrze zaparkowała auto równiutko w wyznaczonych liniach.

Powrót do domu przedstawiał się już zatem mniej przerażająco. Jechała wolno Kasztanową, ale i tak wszystko, co dostrzegała, ograniczało się do samochodów i zmęczonych upałem przechodniów. Nawet opuszczenie szyby okazało się poza jej możliwościami. Ręka najpierw nie mogła trafić na korbkę, a gdy już ją znalazła, Mr T niespodziewanie zjechał na przeciwny pas ruchu. Wystraszona Agata dojechała do domu, dusząc się z gorąca i bojąc nawet włączyć radio. Ale była z siebie dumna, mimo że wysiadając z auta miała miękkie nogi i mokre ubranie.

Zamknęła bramę, wołając Tofi. Powinna gdzieś tu być. Od wyprowadzki Kuby czekała na niego codziennie, przesiadując na ogrodzeniu i patrząc w stronę miasteczka. Agata musiała co wieczór ściągać ją z punktu obserwacyjnego i zanosić do domu, bo nie reagowała na wołanie.

Tofi nie było jednak ani na bramie, ani na huśtawce. Zaniepokojona Agata obeszła dom, wołając kocicę. Nie było jej nigdzie.

Podeszła jeszcze do jednej z dwóch lip rosnących za domem. Wspięła się na palce i włożyła dłoń w małe zagłębienie między gałęziami. Palce odnalazły wiszące na kółku klucze, choć miały nadzieję nie znaleźć niczego.

Obróciła klucze w dłoni. A więc wyprowadził się na dobre. Ponaglała go SMS-ami, mając nadzieję, że jednak tego nie zrobi. Zalegające w przedpokoju kartony dawały jakąś namiastkę jego obecności. Teraz nie było już nic. Nawet wisiorka przy kluczach, który podarowała mu na pierwszych wspólnych wakacjach.

Pobiegła do domu. Kartony rzeczywiście zniknęły, zostawiając na podłodze niezakurzony ślad.

Więc teraz to już naprawdę koniec — pomyślała.

Razem z kartonami Kuba wyniósł resztkę nadziei Agaty. Mimo to nie czuła nic oprócz zobojętnienia i pustki. Nie było płaczu, żalu, niepokoju. Tylko ta pustka. I świadomość, że Kuba — owszem — był, ale tak dawno, że to chyba nie mogła być prawda.

Należało jeszcze zniszczyć po nim ostatni ślad. Agata rozmazała po podłodze kurz, zacierając granice miedzy światem Kuby a swoim. Koniec. Teraz nie łączyło ich już naprawdę nic. Otworzyła jeszcze drzwi na pole, aby wypuścić z domu męski zapach, inny niż ten, który pamiętała. Kuba najwyraźniej zmienił wodę toaletową na mocniejszą, bardziej w guście tej całej KatJi. I dobrze. To już nie był jej, Agaty, problem.

— Tofi? Gdzie się schowałaś? — Przerzuciła uwagę na istotniejsze teraz rzeczy.

Kocicy nie było. Agata otwierała po kolei drzwi do wszystkich pomieszczeń, szukając kota. Na końcu zajrzała do kuchni. Aż ją cofnęło, gdy poczuła ten sam, co w cukierni, obrzydliwy maślany zapach. Lodówka była zamknięta, sprawdziła. Więc dlaczego było tak mocno czuć? Rozejrzała się uważnie. Jej wzrok przyciągnęła kartka na stole. Zapisany karteluszek oparty był o kostkę masła.

Krzywiąc nos z obrzydzenia — masło pachniało, a właściwie śmierdziało masłem jak nigdy wcześniej — przeczytała parę zdań.

Zabieram swoje rzeczy. Klucze tam, gdzie zwykle. Tofi się okociła, przesunąłem karton pod stół w salonie, żeby czuła się bezpieczna. Aha, są dwa czarne. Cześć.

— No to cześć — mruknęła. — Widać nie tak łatwo się kogoś pozbyć ze swojego życia.

I jeszcze wyciągnął jej masło! Żeby było miękkie! Bo zawsze zapominała i potem skrobała kostkę, wgniatając maślane wióry w kromki chleba. Ale po co właśnie teraz wyciągnął to masło?! Przecież już nie musi się o nią troszczyć! Zdenerwowana wrzuciła kostkę na półkę, zamykając ją wraz z intensywną wonią w lodówce. Cienie Kuby ciągle straszyły.

Cholera! Tak się głupio zadumała nad tym masłem, że dopiero teraz dotarło do niej to, co Kuba napisał na kartce. Tofi urodziła! Agata cicho weszła do salonu. Karton, wsunięty pod nakryty długą serwetą stół, skutecznie odgradzał kotkę od reszty świata. Z pudła dochodziło głośne mruczenie. Agata ukucnęła i uniosła róg tkaniny.

— Tofi...? A więc zostałaś matką — cicho zagadnęła kotkę. — I jak się czujesz? Pokażesz mi swoje dzieci?

Nie wiedziała, jaka będzie reakcja Tofi. Kotki podobno wariują, gdy ktoś próbuje dotykać ich potomstwa. Nachyliła powoli głowę i przez chwilę oswajała wzrok z półmrokiem. Wreszcie zobaczyła Tofi. Kocica leżała na boku, jej lewe łapki były uniesione do góry, a przy brzuchu coś się ruszało i popiskiwało cichutko. Agata ostrożnie pogłaskała ulubienicę po głowie.

— Byłaś dzielna? Bardzo bolało?

Świeżo upieczona matka najwyraźniej nie pamiętała już o bólu. Jeszcze nigdy nie mruczała tak głośno i radośnie. A jej wzrok był tak bardzo ludzki, pełen zdumionej miłości i zachwytu...

Agata wycofała się ostrożnie. Nie dotykała na razie ciemnych kłębuszków, nie chciała zakłócać Tofi pierwszych chwil macierzyństwa.

***

— No wysiądź, ty idiotko! Wysiądź wreszcie! — Agata głośno wydmuchiwała nos.

Trzecia chusteczka nie obwieściła końca filmu. Czwarta właśnie nasiąkała słoną wilgocią, a Meryl Streep ciągle siedziała w samochodzie. Clint Eastwood dramatycznie ociekał deszczem, tysiące oglądających film kobiet wtulało się w jego mokre ubranie, a on wciąż czekał.

I się nie doczekał. Agata odmierzyła mokry finał paczką chusteczek, zaryczana jak jeszcze nigdy na żadnym seansie.

— Przynajmniej nie żałowała, że nie poszła z nim do łóżka — mruknęła do siebie. — A ja umiem tylko żałować, że czegoś nie zrobiłam. Nie wiem, która z nas jest bardziej stratna.

Wyłączyła telewizor, ciągle mając przed oczami koniec filmu. Widok za oknem potęgował tylko zimno fizyczne i psychiczne. Sierpień wykluł się w deszczu, który padał tak, jakby nigdy nie miał przestać. Strużki wody płynęły po oknach, ciężkie krople bębniły o dach. Agata zrobiła sobie gorącej herbaty i zawinęła się w koc na łóżku. Podciągnęła kolana do góry, oparła na nich kubek i zapatrzyła w okno. Czereśnia przygięła się do ziemi wilgocią, niebo było szare jak popiół.

Naciągnęła mocniej pled na siebie, podsunęła pod plecy poduszkę. Cisza domu aż dzwoniła w uszach, przerywana tylko cichutkimi piskami i cmoknięciami dochodzącymi z kartonu. Komórka obumarła całkowicie. Kuba nie pisał już nawet w formalnych sprawach, Monika była pochłonięta ciążą, a reszta znajomych jakiś czas temu nałożyła zawodowe i rodzinne czapki-niewidki.

Agata popatrzyła w wiszące obok pieca lustro. Wiedziała, że Feng Shui mało przychylnie traktuje obecność lustra w sypialni, a już, nie daj Boże, tak umieszczonego, żeby odbijało łóżko i osobę w nim śpiącą.

Rozmyślnie złamała te surowe zasady. Do tej pory rygorystycznie przestrzegała wszelkich wytycznych, co przynosiło skutki mizerne, żeby nie powiedzieć, opłakane. A teraz prostokątne lusterko wisiało sobie spokojnie, bezczelnie urągając chińskiej sztuce aranżacji przestrzeni. Szklana tafla fantastycznie ożywiła sypialnię, odbijała twarz Agaty, jej ruchy, dawała wrażenie, że nie jest sama. Ale też, o czym nie wiedziała, działało jednak fengshujowato, skutecznie wypychając ją z łóżka, ilekroć siedziała w nim za długo i próbowała myśleć.

Teraz też lustro zatrzymało ciąg niewesołych myśli. Agata tak przestraszyła się swojego wyglądu, że na chwilę znieruchomiała.

W lustrze odbijał się zielony koc i ramka pomarańczowej poduszki. W tym wszystkim szarzała twarz Agaty z pierwszą zapowiedzią opadających policzków. Już same oznaki starzenia były wystarczającym powodem do smutku i niosły świadomość, że jutro powoli przestaje wyglądać jak dziś. Pamiętała siebie sprzed i widziała teraz siebie po. Litościwie pozwolono jej nie zauważyć ostatniego momentu pomiędzy.

Jednak tym, co naprawdę przeraziło Agatę, był wyraz jej oczu — synteza wszystkich lęków i strachów. Pomyślała, że wygląda jak myszka, którą kiedyś wypatrzyła pod zwisającym mchem. Na zawsze zapamiętała śmiertelnie przerażone, nieruchome oczy. I teraz znowu widziała je w lustrze.

Prawie podskoczyła na dźwięk SMS-a. Ktoś jednak próbował wyciągnąć ją z norki. Komórka wyświetliła pięć wyrazów: *Zakopane jest smutne bez Ciebie...*

Palce Agaty poszukały końcówki warkocza. Nie było jej tam, gdzie zwykle, więc zaczęła skubać paznokieć kciuka. A jednak narozrabiała bardziej, niż jej się zdawało. A wszystko znowu przez Kubę!

Przypomniała sobie z niesmakiem zeszłą sobotę, imprezę urodzinową małej Kamilki, siostrzenicy Kuby i jej chrześniaczki. W związku z ostatnimi wydarzeniami, układ ten okazał się dalece ryzykowny i mało zgrabny. Ale cóż, chrześniaczki, w przeciwieństwie do żony czy męża, nie można było porzucić. Agata zacisnęła zęby, kupiła piękny prezent i pojechała do dziewczynki.

Zanim zdążyła wejść do domu rodziców Kamilki, Paulina — matka małej — zatrzymała ją przy drzwiach, informując, że atmosfera jest, oględnie mówiąc, gęsta.

— Chciał podobno zaprosić tę swoją — szeptała. — Przedstawić ją rodzinie, i tak dalej, ale się nie zgodziłam. Siedzi teraz nadęty i ma do nas pretensje, że zakłócamy mu szczęście — prychnęła.

Agacie zrobiło się przykro. Niezdecydowana przekładała prezent z ręki do ręki.

— To może ja nie powinnam wchodzić?

— Coś ty! To ty jesteś chrzestną Kamilki, a jakby co, on wypiernicza — Paulinka sugestywnie przekonywała szwagierkę.

Na imprezie dziecięcej nie było aż tak źle. Jednak kiedy najmłodszych uczestników wśród zbuntowanego płaczu położono do łóżek, Kuba podpalił lont.

— Możemy już przestać udawać? — zapytał. — Bo się spieszę. Nie kop mnie, do cholery! — wrzasnął na Paulinkę, która zaczerwieniła się.

— Trzeba było nie przyłazić! — krzyknęła z wściekłością. — Położyłeś dziecku imprezę, ty samolubny kutasie!

Agata uśmiechnęła się. Paulinka była ostrą, nieprzebierającą w słowach facetką. Właśnie: facetką. A pełny makijaż, wysoko podpięte do góry blond włosy i srebrne szpilki doskonale dopełniały wizerunku.

— Paulinko, nie denerwuj się. — Mąż, wdzięczny przykład tak zwanej dupy wołowej, głaskał jej rękę.

— A ty co się wpierdalasz między wódkę a zakąskę?! — Kuba z kolei był nieodrodnym bratem swojej siostry.

— A ty co się na niego drzesz?! — Paulina wzięła męża w obronę.

Atmosfera gęstniała coraz bardziej. Pyskówkę jakoś zduszono w zarodku, ale i tak było mało przyjemnie. Agata nie odzywała się, Paulina była wściekła, a Kuba — nadęty. Bębnił palcami po stole i uważał, żeby nie napotkać wzroku żony. A Agata patrzyła na jego rękę, na serdeczny, wciąż zaobrączkowany palec. Kuba pochwycił jej spojrzenie i włożył rękę pod stół.

— Już zdążyłeś się ożenić? — Paulina też zauważyła. — Bo jakoś nie słyszałam o rozwodzie? — Przycisnęła młodszego brata.

— Zostaw, Paulina! — warknął Kuba. — Nie twoja sprawa.

— Skoro już poruszyliście ten temat, który jest jak najbardziej moją sprawą, to może mnie doinformuj. Zgodnie z twoimi słowami pozew powinien być już dawno u mnie w domu — wmieszała się Agata, nie patrząc na Kubę.

— Bądź spokojna. Jutro go napiszę.

Ominęła go wzrokiem.

— Popatrz, Paulinko — spokojnie zwróciła się do szwagierki. — Jaka to jednak ciekawa spawa z tymi obrączkami. Kiedy związek się psuje, kobieta natychmiast ją ściąga. A mężczyzna nosi ją dalej, bo jak tu się przyznać światu, że coś się nie udało? Płaszczyk poprawności, a pod nim syf, bagno.

— Bagnem to byłaś ty! — Kuba próbował ją spacyfikować.

— Będę się zbierała, Paulinko. — Agata zasuwała krzesło, przeglądając się w lustrze. — Tak to już jest, moja droga. Kochankom należałoby stawiać wódkę, bo tylko dzięki nim możemy dowiedzieć się, jaką klasę mają nasi mężowie.

Wyszła, rzuciwszy ogólne „do widzenia".

Pełna niesmaku wracała do domu, nie mogąc się nadziwić, że spędziła parę lat życia z takim chamem. A wydawał się doskonały, idealny wręcz! Po raz pierwszy od długiego czasu roześmiała się sama z siebie, ze swojej głupoty i naiwności, tak dobrą lekcję odebrała. A ta beznadziejna impreza też się na coś przydała. Jeśli po facecie pozostaje już tylko niesmak, to jest dobrze. Nawet bardzo dobrze.

I żeby sobie uświadomić, jak jest dobrze, zadzwoniła do Michała. Kiedy usłyszała jego niski głos w słuchawce, zrobiło się jej przyjemnie słabo od wspomnień. Po wymianie zdawkowych informacji Michał powiedział po prostu:

— Przyjedź do mnie.

Już bez zbędnych słów ustalili, że za dwa dni się zobaczą. Agata nie mogła doczekać się spotkania. Odświeżała w głowie zapach Michała, dotyk jego rąk i elektryzujący tembr głosu.

Na wspomnieniach i marzeniach czas zleciał szybko. Nawet zadeszczony poniedziałek nie był w stanie popsuć jej przyjemnego oczekiwania. Autobus sunął w strugach deszczu, a ona co chwilę odczytywała nowego SMS-a od Michała: *Jedziesz? Jedziesz?; Gdzie jesteś?; Już na ciebie czekam...*

I czekał. Schowany pod dużym parasolem, lekko przygarbiony jak dawniej. Szukał jej, przebiegając wzrokiem okna autobusu. Agata zeszła powoli ze schodków pojazdu, wprost pod ten parasol, wprost w ramiona Michała.

Stali tak objęci bez słowa, potem ogarnęli się wzrokiem. W twarzy Michała zarysował się już czas, ale oczy pozostały nietknięte: niebieskie, przenikliwe, obierające człowieka z psychofizycznych osłonek. Hipnotyzujące. Ten niepozorny mężczyzna miał w sobie jakiś magnetyzm, niezwykłość, którą, widać, docenił ktoś rozsądny. Michał nosił obrączkę.

Po co tu przyjechałam? — zadawała sobie w myślach pytanie, z rezerwą przyglądając się Michałowi.

Gdzieś w głębi duszy miała nadzieję, że on będzie w niej zakochany przez całe życie. Wzorcowy egoizm i głupota. Szła w milczeniu obok Michała, słuchając, co przez ten czas zmieniło się w jego życiu. W miarę neutralny temat, odsuwający na chwilę ich wspólne bycie razem, nakłonił Agatę do zwierzeń.

— Dlaczego ja wtedy odpuściłem? — zapytał po chwili milczenia.

— Bo byłeś głupi.

— Chyba tak...

Nie obejmował jej, nie prowadził za rękę, ale ciągle znajdował pretekst, by dotknąć jej twarzy, włosów. Budził wspomnienia, dawne tęsknoty, nadzieje i najbardziej prozaiczne pożądanie. Deszcz ciągle padał, wicher giął do ziemi drzewa, wpychając w płuca wilgotne powietrze. Koziniec przy tej pogodzie był jeszcze bardziej niesamowity.

Ręka Michała błądziła po karku Agaty... Szła jak bezwolna lalka, z na wpół zamkniętymi oczami, pijana Michałem i uczuciami, których nie potrafiła już okiełznać.

Resztki rozsądku rozpłynęły się w kieliszku wiśniówki, proszącym wzroku i dłoniach Michała. Siedzieli na łóżku, w małym pokoju, przytuleni do siebie. Przeciągali oczekiwanie, które smakowało jak jeszcze nigdy z nikim.

A potem jej stopy znalazły się w dłoniach Michała. Powoli ściągnął z nich obuwie, skarpety, rozgrzewał dłonią każdy fragment skóry. Zamknęła oczy, gdy poczuła na palcach jego usta. Nie spieszył się, poznawał wargami i językiem każde wgłębienie, wypukłość stopy. Potem uczył ją przyjemności powolnej wędrówki po łydkach, udach, wewnętrznej stronie ud. A gdy ściągnął z niej bluzkę, wymazała z pamięci Kubę. To, co było przed nim, nie miało w ogóle znaczenia. Mogła powiedzieć, że nigdy nie przeżyła czegoś bardziej pełnego, namiętnego niż ta pieszczota. Ten „właściwy", narządowy seks był przy tym tak trywialny, że omal się nie roześmiała.

Czasu nie było, istniał gdzieś poza nimi, za oknem, w gasnącym dniu...

Michał powoli, bardzo powoli zdejmował z Agaty ubranie. Kiedy była już całkiem naga, odsunął się i patrzył na nią, ściągając z siebie spodnie i bluzę.

Na chwilę zamknęła oczy, delektując się chwilą. Michał znał zasady, wiedział, że największą przyjemnością jest oczekiwanie. W nieskończoność odwlekał moment dotyku nagich ciał.

Tego, co przeżyła, gdy położył się obok niej, nie umiała oddać słowem ani wtedy, ani nigdy potem. Skumulowana w jej podbrzuszu energia zwalniała z myślenia, pozbawiała poczucia czasu i przestrzeni.

Pochylił twarz nad jej twarzą...

Mamo, ja jestem — usłyszała nagle gdzieś w swoim wnętrzu.

Dziwne słowa rozbiły się w jej głowie, wdarły między nią, a Michała. Odsunęła się od niego, usiadła na łóżku zaskoczona.

— Co się dzieje? — Michał całował jej plecy.

Popatrzyła na niego.

— Nie wiem, nie wiem. — Potrząsnęła głową.

— Przecież jesteśmy dorośli. — Źle zinterpretował jej wahanie i próbował przyciągnąć do siebie. — Przecież cię zdradził...

Spojrzała na niego zszokowana, że temu, co się wydarzyło przed chwilą, nadał inną nazwę niż ona sama. Bez słowa nałożyła bieliznę i ubranie. Uczesała włosy i wyszła z ich wspólnego czasu.

***

Fiołek w doniczce czy cięte kwiaty? — zachodziła w głowę, krążąc po kwiaciarni.

Róże były piękne. Duże, małe, herbaciane, białe i te najbardziej pospolite — czerwone. Agata stała niezdecydowana pomiędzy wiadrami, przeglądając stojące na półkach kwiaty doniczkowe.

Najchętniej kupiłabym tej starej małpie kaktusa — zachichotała w myślach. Byłoby akurat adekwatnie.

Wybierała się z comiesięczną wizytą do ciotki. I tę wizytę należało dobrze rozpocząć, po to, aby jakoś dożyć jej końca. Nie, żeby nie lubiła ciotki. Jej złośliwe poczucie humoru, bystrość i cięty dowcip zacierały różnicę wieku i mimo wszystko dobrze robiły Agacie na malkontenctwo. Starsza pani — do której to określenie wyjątkowo nie pasowało — potrafiła jej dopiec do żywego, ośmieszyć poglądy i niezdecydowanie. Ale potrafiła też przytulić czy pocieszyć, choć w nieco sarkastyczny sposób.

Więc róże czy fiołki? — Stała z nieszczęśliwą miną, zastanawiając się, jak by tu trafić w dzisiejszy gust ciotki.

A to za każdym razem było trudne. Czasem uznanie znajdowały kwiaty cięte, czasem tylko doniczkowe. A jeszcze innym razem — żadne. Czekoladki też bywały problematyczne: zbyt miękkie, twarde, zbyt słodkie, mało słodkie.

— Może jednak coś doradzić? — florystka już trzeci raz proponowała pomoc.

— Dziękuję, już wybrałam. — Agata w końcu postawiła na fiołka.

Kwiatek prezentował się w miarę okazale. Agata zapłaciła za niego i wyszła wreszcie z kwiaciarni.

Dzień był upalny. Lato skwarzyło się niemożliwie od dwóch tygodni, nie spuszczając kropli deszczu na znękane miasto. Trawniki zżółkły, a liście na drzewach zwijały się w suche trąbki.

Agata szła wzdłuż rzeczki tnącej miasto na pół. Chłód i szum wody niósł przyjemne orzeźwienie, odwracał uwagę od paskudnych tyłów kamienic. Nie mogła zrozumieć takiej polityki. Fronty były pięknie odnowione, kolorowe i finezyjne, podczas gdy te nieszczęsne tyły wyglądały jak papierowe dekoracje, upstrzone dziwnie powyginanymi rynnami, dziesiątkami okien i okieneczek.

Ciotka mieszkała właśnie w jednej z tych kamienic. Agata przeszła wąskim przesmykiem na deptak. Ludzie ruszali się tutaj jak muchy w smole, osłabieni upałem. Miejskie plotkary siedziały pod rozłożystym kasztanem i wachlowały się zawzięcie, pozostawiając plotki na popołudnie. Jedynie fontanna tętniła życiem. Gromada dzieci chlapała się w betonowej misie, wystawiając półnagie ciałka na spadające strugi wody. W ten krajobraz doskonale wpisywała się Laluchna. Siedziała na murku fontanny i moczyła nogi, śmiejąc się razem z dziećmi.

Ciekawe. — Agata przystanęła. — Dorośli jej nie znoszą, a dzieci uwielbiają. Z wzajemnością, zresztą.

— Agatka? — Głos, który spłynął z góry, wyrwał ją z zamyślenia.

Zadarła głowę. Ciotka wychylała się z otoczonego surfiniami okna i machała do niej ręką.

— Idę, ciociu. — Zadrobiła jak posłuszna uczennica i weszła do bramy.

Świeżo odmalowane wnętrze nie zostało jeszcze oznakowane śladami moczu i jego odorem. Na razie, bo prędzej czy później beżowe ściany będą musiały zostać doprowadzone do poprzedniego wyglądu, aby za bardzo nie odstawały od sieni innych budynków.

Strome, wysokie schodki zaprowadziły Agatę przed drzwi mieszkania ciotki. Zapukała. Po chwili dał się słyszeć stukot otwieranych zamków.

— Wejdź, Agatko. — Krewna nadstawiła policzek do cmoknięcia na powitanie.

— Dzień dobry, ciociu. Doskonale wyglądasz.

Ręka Niny dotknęła starannie ułożonych włosów. Na palcu błysnął pierścionek z dużym, zielonkawym oczkiem, który Agata określiła kiedyś jako królewski.

— Byłam dziś u fryzjera — powiedziała zadowolona ciotka, przyjmując z rąk siostrzenicy fiołka w doniczce i przypatrując mu się krytycznie.

— Ooo, i brwi chyba też ciocia wydepilowała? — Uwagę diabelskiej babki trzeba było skierować na coś innego.

Najwyraźniej się udało, bo starsza pani wybałuszyła na Agatę oczy.

— Miałaś chyba na myśli, że sobie wyregulowałam brwi? — upewniła się.

— No, tak. Jak zwał, tak zwał....

Okazało się, że jednak nie. Ciotka machinalnie postawiła fiołka na ławie i spojrzała ciężko na siostrzenicę.

— Mój Boże! Co z ciebie za kobieta, skoro nie odróżniasz depilacji od regulacji?

Agata westchnęła i klapnęła ciężko na podstawiony fotel. Wizyta nie zaczęła się najlepiej i...

Ciotka niespodziewanie zaszła ją od tyłu i przycisnęła jej głowę do oparcia fotela. Dziewczyna wbiła przerażony wzrok w krewną.

— Wszystko jasne — mruknęła starsza pani, przejeżdżając mokrym palcem po jej brwiach. — Pozwól, że łydek nie będę ci już oglądać. Wystarczy to, co widzę teraz. Żeby tak się zapuścić! Fuj!

Mamrocząc pod nosem, poszła do łazienki po pęsetę.

— A herbatki dziś nie będzie? — odważyła się Agata.

— Potem. Teraz są ważniejsze sprawy. Siadaj na dywanie — zakomenderowała ciotka, moszcząc się wygodnie w fotelu. Unieruchomiła głowę siostrzenicy pomiędzy udami i zaczęła psychiczne i fizyczne tortury.

— Wstyd, Agatko. Młoda z ciebie kobieta. Powinnaś być zadbana i elegancka. Kiedy się będziesz stroić, dbać o siebie? Gdy będziesz takim starym pudłem jak ja?

— Nie mam dla kogo.

— Dla siebie! — rugnęła ją ciotka słowem i karcącym wzrokiem. — Czy ty wiecznie musisz być dla kogoś?

Fakt. Nina najwyraźniej wiedziała, co mówi. Nawet teraz, ubrana w podomkę, wyglądała na kobietę z klasą, a pociągnięte beżową szminką usta współgrały z lakierem na paznokciach. Agata ze wstydem schowała dłonie pod pupę. Jej ręce były zaledwie czyste, a paznokcie krótko obcięte. Pewnie to za mało jak na ciotczyne standardy.

— Widziałam. — Diabelska babka nie dawała chwili wytchnienia. — Przechodzisz jakiś dziwny proces uwsteczniania się do etapu brzydkiego kaczątka. Bo chyba dobrze pamiętam, że jeszcze parę lat temu wiedziałaś, co to makijaż i but na obcasie?

— Po prostu mi się nie chce. — Agata zaczynała być zła. — Możemy już odpuścić sprawę mojego wyglądu?

Ręka ciotki, uzbrojona w pęsetę, zawisła nad jej twarzą. Obraziła się? Już miała przeprosić, gdy zobaczyła, że krewna się uśmiecha.

— No, nareszcie widzę cień dawnej Agatki — powiedziała. — Zdecydowanie bardziej mi odpowiada niż wersja nudnej, ugrzecznionej nauczycielki.

— A może ja właśnie jestem taka nudna i nijaka?

— Chyba nie. — Ciotka podniosła się z fotela. —

Tylko nie bardzo umiesz się dookreślić, poczuć dobrze we własnej, prawdziwej skórze.

— Myślisz, że w końcu zrozumiem siebie?

Starsza pani przykucnęła i objęła Agatę.

— Myślę, że tak. Oby tylko przed czasem, zanim mądrość za bardzo przegoni młodość — dokończyła z westchnieniem, podnosząc się z dywanu. — To co? Herbatka? Czy coś mocniejszego?

— Coś mocniejszego. — Agata z powrotem rozsiadła się w fotelu, przeczesując palcami zmierzwione włosy.

Ciotka wyjmowała z barku karafkę i kieliszki, a jej siostrzenica, jak zwykle, rozglądała się po domu. Powiedzenie: „Pokaż mi jak mieszkasz, a powiem ci, kim jesteś" w przypadku ciotki Niny sprawdzało się stuprocentowo. Niewielkie dwa pokoiki, kuchnia oraz łazienka były dopieszczone do ostatniego szlaczka na ścianie i fałdki na zasłonach. Agacie szczególnie podobały się pokrowce na pufy z długimi frędzelkami, po ciotczynemu — kutasikami.

No i było jeszcze zdjęcie, do którego prawie modliła się od najmłodszych lat. Piękna trzydziestoletnia ciotka stała z parasolką na słupku falochronu. Idealnie wyprostowana z elegancko obciągniętymi palcami stóp. Czarno-biała fotografia pozwalała jedynie domyślać się czerwieni kostiumu kąpielowego i opaski we włosach. Burza loków wcale nie ukrywała pięknych oczu i uszminkowanych — a jakże — ust.

Ciotka podążyła za wzrokiem siostrzenicy.

— Ale był ze mnie kawał dupy, co?

— Uhm — Agata westchnęła zazdrośnie. — Gdybym wyglądała choć w połowie tak dobrze!

— No, no. — Krewna łypnęła groźnym, acz zadowolonym okiem. — Tylko mi tu bez takich! Myślisz, że ja się z takim wyglądem urodziłam? Zresztą, zaraz ci coś pokażę.

Wyciągnęła z szuflady stary album, przewróciła parę kartek.

— O, zobacz tutaj.

Agata popatrzyła na portret nieciekawej, biuściastej dziewczyny w szkolnym fartuchu.

— To ty? — zapytała z niedowierzaniem, przenosząc wzrok na nadmorskie zdjęcie i porównując je z tym w albumie.

— A ja. — Ciotka pokiwała głową. — Ładna byłam?

— Niespecjalnie.

— No widzisz. Coś ci powiem, Agatko. Ładna z ciebie dziewczyna, tylko po prostu zaniedbana, nijaka. Nie obraź się, ale wyglądasz jak typowa nauczycielka. Przepraszam, jak stara, zgorzkniała nauczycielka — dopowiedziała.

Agata puściła mimo uszu komplementy ciotki. Patrzyła na zdjęcie w albumie i coś jej chodziło po głowie. Na pytające spojrzenie krewnej mruknęła tylko: „moment" i już grzebała w torebce.

— Jest! A myślałam, że już je wyrzuciłam. —

Podsunęła ciotce przed nos swoje zdjęcie przedmaturalne. — Widzisz? Jestem do ciebie podobna. Ten sam rozstaw oczu i kształt czoła.

— I fartuch — zaironizowała Nina. — Czym tu się tak ekscytować? Przecież jesteśmy rodziną.

— Jestem bardziej podobna do ciebie niż do matki. Nic nie wzięłam po niej z wyglądu ani charakteru.

Ciotka wychyliła kieliszek.

— Chwalić Boga. Nie masz czego żałować — mruknęła. — Pij, mała. Trzeba poprawić krążenie — ponagliła siostrzenicę.

Dziewczyna opróżniła naczynie do połowy i w zamyśleniu przewróciła parę stron w albumie, podziwiając doskonale ułożone kobiece fryzury, szykownie skrojone kostiumy i uśmiechy jak z reklamy pasty do zębów. Sanatoryjne deptaki, plaże i sale dansingowe przewijały się przed jej oczami. Nina najwyraźniej uwielbiała się fotografować. No i oczywiście miała wszelkie warunki po temu, by chcieć się uwieczniać.

A to co? Spomiędzy pedantycznie zapełnionych zdjęciami kartek wysunęła się pojedyncza fotografia. Roześmiana ciotka trzymała w ręku lalkę, a wujek Lojzik samolot. Zaraz... Agata wytężyła wzrok. Samolot bezdyskusyjnie przypominał z wyglądu zabawkę trzymaną przez chłopczyka, którego widziała przed swoją bramką.

— Co to za zdję...

Ciotka wyrwała jej z rąk fotografię, włożyła między kartki albumu i zatrzasnęła go.

Agatę bardzo zdziwiła reakcja krewnej. Jednak w prawdziwą konsternację wprowadził ją widok łez w oczach Niny.

— Ty płaczesz? — zapytała głupio.

— Nie — burknęła starsza pani. — Maluję sobie paznokcie. Nie widzisz? — Wstała z fotela i zaniosła album na miejsce.

— Miałam wrażenie, że gdzieś już widziałam ten samolot — usprawiedliwiała się Agata. — Czy on był niebieski? — próbowała drążyć temat.

Ciotka, jako tako opanowana, wzruszyła ramionami.

— Często nam się wydaje, że coś gdzieś widzieliśmy. Często nam się wydaje, że coś jest. A potem okazuje się, że tego nie ma. Że w ogóle niczego nie ma. I wiesz, co? Zdrowiej nie zastanawiać się nad tym. — Ujęła kieliszek w dłoń. — Pij, pij, dziewczyno. O przeszłości najlepiej zapomnieć. Choć — westchnęła — często wydaje się to niemożliwe.

***

Monika

Jesteś? Rzuciłam Ci coś na maila :) 18:04:22

Agata, rozcierając brzuch, weszła na pocztę. W załączniku czerniło się zdjęcie śmiesznego ciałka z widoczną linią kręgosłupka.

Agata

Podobne do Ciebie :) 18:05:57

Monika

Hehe. Co słychać? 18:06:48

Agata

Aaa... Jestem przed ciotą, wszystko mnie wk...a! 18:08:01

Monika

A ja oszczędzam na podpaskach :) 18:08:52

Agata

z/w Idę zażyć procha, bo oszaleję 18:10:11

Kuląc się z bólu, poszła do łazienki i wyłuskała z blistra trzecią już dziś no-spę.

Monika

Próbowałaś ogrzewać brzuch termoforem? 18:12:23

Agata

Nie. Tobie pomaga? 18:16:01

Monika

No. Przynosi ulgę. 18:17:22

Agata

Ech, to chyba zrobię sobie, tabletki nie działają wcale :/ 18:18:55

Termofor też nie pomógł. Agata położyła gorący zbiornik na brzuchu, ale już po chwili odrzuciła go na bok. Coś jej podpowiadało, że nie powinna sobie w ten sposób pomagać. Ciągle wracały do niej dziwne słowa: „mamo, ja jestem" i postać chłopca z niebieskim samolotem. Okres spóźniał się już wprawdzie ponad tydzień, ale bolący miesiączkowo brzuch wyraźnie go zapowiadał i kazał Agacie pukać się w głowę nad własną kondycją psychiczną.

Agata

Monika? 18:32:34

Monika

No? 18:32:52

Agata

A Ty miałaś jakieś przeczucie, że jesteś w ciąży? 18:33:22

Monika

To znaczy co? O cyckach Ci mówiłam 18:35:23

Agata

Nie, nie takie. Pytam, czy to czułaś, wiedziałaś... A może słyszałaś...? 18:40:01

Monika

Eee, głupia jesteś! Znowu kwiatki do Ciebie mówią? 18:42:59

Może i była głupia, ale wtedy wyraźnie usłyszała słowa: „ciasno mi". Drzewko szczęścia marniało w oczach. Podlewała je mniej, więcej nawoziła. Nie pomyślała o zmianie doniczki, sądząc, że jest na to czas. Dopiero kiedy roślina obumarła, okazało się, że rozrośnięte korzenie wypchnęły prawie całą ziemię z pojemnika. Z poczuciem winy wyrzuciła uschnięty kikut do śmieci.

Agata

A bo podobno niektóre matki słyszą własne dziecko 18:45:02

Monika

To chyba te niektóre mają na imię Agata :) Lepiej Ci już? 18:46:23

Agata

Ani trochę. Właściwe to boli coraz bardziej. Idę się położyć. Pogłaszcz młodego od cioci Agaty. Cześć, małpo! 18:49:12

Monika

Cześć, durna babo 18:50:00

Agata odłożyła laptopa i zwinęła się pod kocem w ciasną kulkę. Bolało, bolało.

A może to wcale nie okres? Tylko na przykład wyrostek? — zastanawiała się.

Z wysiłkiem przekręciła się na brzuch i znów przysunęła komputer. „Skurcze, ból brzucha jak przed okresem" — wygooglowała. Nie zdążyła nawet zerknąć w rekordy, bo ogromna niewygoda i ucisk brzucha kazały jej zmienić pozycję. Tym razem oparła się o ścianę, położyła komputer na kolanach i przebiegła wzrokiem jeden z wyników:

„... tyle, że okres mi się spóźnia parę dni. Niby mam objawy jak przed @, ale jej nie ma. Podobno jest to jeden z objawów ciąży. Jakieś doświadczenia w tym temacie?".

Nie czytała nawet dalej. Laptop zsunął jej się z kolan, gdy poszczególne wydarzenia, błahostki zlały się w całość. Jak mogła być tak ślepa?! Dziwaczny smród masła, katujący jej nos po sam mózg, niedopinający się guzik w spodniach, dwukrotnie słyszany dziecięcy głos — i jeszcze dobiegający nie wiadomo skąd płacz i ogromne pragnienie ramion, dopominających się o małą istotkę. No i pączek zjedzony ostatnio w „Maleńkiej". Nie cierpiała pączków, ale kiedy poczuła intensywny zapach, nie mogła oprzeć się miękkiej, nadzianej konfiturą kuli.

„Masz tu Laluchnę" — huknęło w jej głowie na sam koniec.

Dopiero teraz przypomniała sobie ostatnie wyjście do miasta. Zajęta sobą, swoimi problemami, wyparła z głowy spotkanie z wariatką, która dotknęła lekko brzucha Agaty.

— Masz tu Laluchnę.

Pomimo bólu zerwała się z łóżka. W łazience wyrzucała z koszyka lekarstwa, szukając testu. Fiolki i buteleczki sypały się na podłogę. Wtedy, po tej pijanej nocy, kiedy zapomniała wziąć tabletkę, kupiła kilka testów. Powinien przecież być jeszcze przynajmniej jeden!

Wyszarpnęła szufladę. Płaski kartonik leżał wciśnięty w jej koniec. Niecierpliwie rozerwała opakowanie, oddała mocz na końcówkę paska i zbliżyła plastik do oczu. Umierała z bólu i przerażenia, obserwując pojawienie się jednej kreski. Drugiej nie było. Odetchnęła z wielką ulgą, odkładając rozbrojoną bombę na blat przy umywalce.

Ból jakby trochę zelżał. Poszła do kuchni zrobić sobie coś do picia — podwójna melisa była jak najbardziej wskazana. Zalała torebki wodą i usiadła przy ławie. Ta cholerna Laluchna nieźle ją przestraszyła! Darmowy wykrywacz ciąż, skuteczność dziewięćdziesiąt dziewięć procent. Dziewczyny i kobiety mające na sumieniu niezabezpieczone seksualne wyskoki schodziły jej z drogi, skręcały w boczne ulice. Na próżno. Laluchna wieszczyła im dobrą nowinę na przystankach, w sklepach i kolejkach, z których trudno było uciec.

Te, które pragnęły dziecka, nie omijały Laluchny, ale przechodziły blisko, jak najbliżej, zaglądając jej w oczy i prosząc, jak Boga, o cud.

Jej tym razem się udało... Wzięła kubek z melisą i poszła zrobić sobie kąpiel, wygrzać ból i strach, który przeżyła.

Test — apogeum głupoty i przewrażliwienia — odbijał się od zielonych płytek. Plastik już nie straszył.

Zerknęła na niego z miną zwycięzcy.

Przypatrzyła się uważniej i przestała uśmiechać. Poniżej wyraźnej linii rysowała się delikatna druga niteczka.

Mały prostokąt, przetłumaczone na kreskę dziecko, przeleżało w kołysce jej dłoni do wieczora...

***

Do: Monika <karmelia76@gmail.com>

Temat: Nie wrzeszcz!

Nie wrzeszcz! Żyję!

Siedzę teraz na łące, a raczej w łące. Wszystko tu pachnie, kwitnie, bzyczy. A lipy są ogromne! Szkoda, że już przekwitły. I teraz uważaj. Powtórz dokładnie swojemu maluchowi to, co Ci teraz opowiem. (Wiesz już czy będzie chłopak, czy dziewczyna? Chłopaka, chłopaka Ci życzę. Po co rodzić dziewczynki? Tyle mają potem kłopotów).

No więc, słuchaj.

Przede mną te lipy, pod nimi wysokie, żółte kwiaty (nie wiem, jak się nazywają, ale czy to ważne?) i na samym dole gęsta zieleń traw. Widzisz to? A teraz domaluj sobie kłębiaste, fioletowo-białe chmury, które wiszą nad koronami drzew…

Do: Monika <karmelia76@gmail.com>

Temat: Już nie będę

Może jestem stuknięta. Może zawsze byłam. A nawet jeśli, to co?

Zresztą — dobrze, nie będę Ci już pisać o lipach i łąkach. O tych pierdołach, jak mówisz.

Mam ci potwierdzić, że ja to ja? No dobra, niech pomyślę. To głupie, kiedy biedronka ma na imię Karmelia. Wystarczy? Poznajesz? Kłaniam się nisko.

Co się stało, co się stało... Wszystko się stało. Bałam się, że zaczynam wariować. Natłok myśli, który nie daje spać. Budzisz się w nocy, ktoś naciska „on" i musisz myśleć. Cojutronaobiadjaksobieporadzęnie mampieniędzyautodonaprawykotdoweterzynarza... I tak w kółko, coraz szybciej. Bez przecinków, kropek, spacji...

I ten ból mózgu... Na to nie pomagają żadne prochy.

A potem nie mogłam oddychać. Nie śmiej się. Otwierałam szeroko usta i demonstracyjnie wciągałam w płuca powietrze, żeby sobie pokazać, że ZMYŚLAM! Ale nie, moja klatka piersiowa nie podnosiła się. Bolało, tak nieznośnie bolało! Z płaczem wybebeszyłam apteczkę. Hydroxyzyna znalazła się w dłoni jak na zawołanie. Chwila wahania, tabletka z powrotem do opakowania. Przecież nie mogłam zjeść tego cholernego proszka!

Wyłącz się, wyłącz, Monika! Nie chcę rozmawiać. Wszystko Ci napiszę, ale powoli, po swojemu. Teraz kończę. Idziemy na spacer.

PS Michalinka? To też dobrze. Tylko mądrze ją wychowaj. Słyszysz? Cokolwiek to, cholera, znaczy...

Koniec sierpnia.

Trawnik nieskoszony. W zieleni kwitną stokrotki, pachną nadgryzione przez osy śliwki. Wyobraź sobie, jak doskonałe jest połączenie fioletu i zieleni. W naturze nic nie jest przypadkowe, na chybił trafił. Nie ma tu dysonansów. Dysonanse są w nas.

Albo stokrotki. Najmniej wymagające kwiatki na świecie. Jak wygląda stokrotka? Żółta poduszeczka otoczona promyczkami białych, podłużnych płatków. Stokrotka jest mała, kilkucentymetrowa, a kwitnie od wczesnej wiosny do pierwszych śniegów.

Wytłumaczysz mi, dlaczego zachwycamy się storczykami?

Do: Monika <karmelia76@gmail.com>
Temat: Uparta małpa

Uparta jesteś. Drążysz i drążysz.

To na czym wczoraj skończyłam? Aha, próbowałam Ci wytłumaczyć, jak to jest nie móc wziąć oddechu. Nie rozumiesz? Trudno.

To może tak. Życie mnie osaczyło. No dobra, tandetny zwrot, ale bardzo adekwatny.

Zaczęło się od odejścia Kuby. Naprawdę myślałam, że dam radę. Chciałam tak myśleć. Ale to nie byłam ja, tylko jakaś inna Agata, taka mechaniczna. Patrzyłam na siebie jak przez szybkę, rozumiesz, jak na bohaterkę reality show. Próbowałam żyć – nie żyłam. Z dnia na dzień gorzej. No i wreszcie apogeum, wiadomość roku. Gola sobie strzeliłam. Samobója, kurwa.

Podobno jak Bogu nie podoba się Twoje życie, daje kopa. Ja dostałam takiego, że do tej pory nie mogę się pozbierać. Dlatego uciekłam, żeby to przemyśleć, poukładać, przedefiniować. Spakowałam torbę, klucze do Jezierskiej, koty do ciotki. Wyobraź sobie, jaka była zachwycona! A ja wsiadłam do Mr T i pojechałam przed siebie.

Out. Lato jest piękne. Idziemy dziś do zamku.

Zamek to zamek.

Dobrze, już dobrze. Spróbuję dziś popatrzeć twoimi oczami — od ogółu do szczegółu. My — doro-

śli, pseudodorośli — widzimy tylko ogół. Przeżyci, wyżyci, nic już dla nas nie jest dziwne i wyjątkowe. A potem, capnięci za kark — no przypatrzże się, idioto! — nagle dostrzegamy barwy, kształty, angażujemy wszystkie zmysły, budzimy się. A nie lepiej żyć tak, żeby nie zasnąć?

Nie śmiejesz się ze mnie? No tak, jeszcze „ludzie" nie powiedzieli ci, co jest „dobre" a co „złe", co wypada, a co nie. I kiedy trzeba się śmiać, a kiedy płakać. Nigdy ich nie słuchaj, rób po swojemu...

Ale wróćmy do zamku. Ten nasz zbudowany jest na planie kwadratu. Ma cztery boki i wszystkie są podobnej długości. Rozumiesz? Dobrze, to dzisiaj zaliczyliśmy podstawę matematyki. Kwadrat ma też cztery rogi — miejsca, gdzie stykają się dwa boki. Umiesz to sobie wyobrazić? No więc w każdym rogu zamku znajduje się jedna wieżyczka, pokryta spiczastym dachem. Dodaj do tego dużo okien i piękne, masywne drzwi, a właściwie wrota. Zamek otoczony jest fosą. To taki rów, w którym kiedyś była woda. Teraz rośnie w nim trawa.

Cicho tu. Właściwie za cicho i jakby straszno. Wokół zamku rosną gęste krzewy, nie widać nawet motyla, nie słychać ptaka...

Do: Monika <karmelia76@gmail.com>

Temat: Liczba mnoga

Nigdy nie byłaś specjalnie dociekliwa i zainteresowana cudzymi sprawami. Zawsze to ja raczej mówiłam i wypytywałam. Nie wiesz, że ciekawość to pierwszy stopień do piekła? Chcesz się ubabrać, no to proszę. Witam w swoim prywatnym piekle.

Powiedz mi, jak to jest mieć poukładane życie, męża, dziecko, pracę? Te drugie ręce na swoim brzuchu? Bo ja już nie pamiętam. Opowiesz mi o tym, pozwolisz się wpieprzyć w Twoją codzienność? Zawsze bardziej interesował Cię Twój piegowaty nos niż inni. I to była dobra filozofia. Każdy z nas ma swoją historię, po co trwonić siły na cudze problemy? Zdrowy egoizm, nie?

Nie miałaś polskiego w szkole? Liczba mnoga to więcej niż jedna osoba, tak? Idziemy na spacer, to idziemy. Śpimy — też razem. A na śniadanie, obiad i kolację jemy to samo. Związek idealny. Niestety, jak sama wiesz, każda sielanka kiedyś i gdzieś się kończy. Zaczyna się dupianość.

Michaśka grzeczna? Przyślij jej najświeższą fotę.

Wiesz, oni się tam cieszą we trójkę. Dwójka nie jest najlepszą liczbą, jeśli chodzi o rodzinę. Nie sprawdza się w żadnej kombinacji, zawsze pozostaje jedna niewiadoma. 2+1 — równanie idealne. A u nas? 2+0, synu.

Czasem myślę, jak by to było, gdyby ta dwójka zredukowała się z powrotem do jedynki... jakkolwiek... Ale tylko czasem. Jesteś silny. Wczepiłeś się we mnie i nie puścisz jeszcze przez jakieś siedem miesięcy. Paradoksalnie, nigdy i nigdzie nie będzie ci lepiej. Niewiedza jest błogosławieństwem.

Nie piszcz, wyciąć cię nie dam... chociaż wcale

cię nie kocham. Ja się ciebie boję. Boję się tego, co zrobisz z moim życiem.

Popatrz, zaczął się wrzesień. Cały jest żółty pod ostrym błękitem. Czasem chciałabym ci już teraz pokazać każdą najmniejszą trawkę, a czasem wolałabym, żeby to nigdy nie nastąpiło. Nie dasz mi wyboru, wiem. Ale teraz, póki jesteś jeszcze zupełną abstrakcją, mogę sobie wyobrażać, że wszystko jest po dawnemu, że nic się nie zmieniło.

Tak jest dobrze, bezpiecznie...

Do: Monika <karmelia76@gmail.com>

Temat: Już nie żona, jeszcze nie rozwódka...

...a pozwana.

Do: Monika <karmelia76@gmail.com>

Temat: PoZew krwi

Te. Biedrona.

No nie irytuj się. Ja bym tam chciała mieć piegi :)

Weź na wstrzymanie. Muszę Ci jak świni do koryta tłumaczyć? Na mózg i rozum ciąża Ci padła, kangurzyco? Nie potrafię tak od razu kawa na ławę. To nie ten kaliber zmartwień, co kiedyś. Dawno, dawno temu wystarczyło przemielić problem mordą, aby stał się mało istotny, nawet śmieszny. Teraz się nie da. Tak mi zapieprzyło psychikę, emocje, że nie jestem w stanie o tym mówić. Muszę to z siebie powoli wyciągać, oswajać, więc się nie drzyj. Spieszy Ci się gdzieś? Bo mnie już nie.

Pozew dostałam jakieś dwa tygodnie temu. I znów, jak butem w mordę, garść mężowskich słodkości, mających ułatwić „do widzenia". Miło się prawdy dowiedzieć... Choć wolałabym wcale niż późno. Zresztą sama sobie poczytaj. Załączam skan.

Pozew o rozwód bez orzekania o winie

W imieniu własnym wnoszę o:

Rozwiązanie małżeństwa stron, zawartego w dniu 29 sierpnia 2005 roku przed kierownikiem urzędu stanu cywilnego w N (za aktem małżeństwa nr 123/05) przez orzeczenie rozwodu bez orzekania o winie stron.

Obciążenie obu stron kosztami postępowania.

Uzasadnienie

Strony zawarły związek małżeński w 2005 roku.

Ze związku tego nie pochodzą dzieci, jak również strony nie posiadają dzieci pozamałżeńskich. Strony nie zawierały umów małżeńskich.

Obecny stan więzi między małżonkami prowadzi do wniosku, że nastąpił zupełny rozkład pożycia małżeńskiego o charakterze trwałym.

Strony poznały się w roku 2004, zamieszkały wspólnie w 2005 roku. W początkowym okresie pomiędzy małżonkami nie występowały problemy, małżeństwo funkcjonowało prawidłowo.

Po około trzech latach trwania związku okazało się, że strony mają zupełnie odmienne charaktery, system wartości i oczekiwania względem siebie. Strony posiadały odmienne kręgi znajomych, wywodzących się z różnych środowisk, spędzały większość czasu same, a w trakcie wspólnego przebywania nie potrafiły nawiązać prawidłowego kontaktu. Nasiliły się kłótnie i nieporozumienia, które sprawiły, że strony zaczęły oddalać się od siebie. Uczucie osłabło, współżycie seksualne było sporadyczne i niesatysfakcjonujące.

Na skutek trwającego złego stanu pomiędzy stronami, powód podjął decyzję o odrębnym zamieszkaniu. Od tego czasu (czerwiec 2009) ustało między stronami współżycie fizyczne.

Po wyprowadzeniu się powoda, strony nie utrzymują kontaktów ze sobą. Każde z małżonków prowadzi odrębne życie.

Ponieważ rozkład pożycia stron jest zupełny i trwały, a uczucie między małżonkami wygasło całkowicie, strony nie widzą szans na dalsze trwanie związku. W sposób ugodowy rozstrzygnęli wszelkie kwestie związane ze swoimi relacjami i majątkiem wspólnym.

Z tych względów wnoszę jak na wstępie.

Jakub Leśniak

Dlaczego aż tak bardzo cię nie chcę? Niewygodne pytania zadajesz.

Spodziewałeś się euforii, obmacywania brzucha, łez, oczekiwania — tak? No to przepraszam. Jedyne, co mogę ci dać, to niepewność i może trochę nadziei, że kiedyś będzie inaczej, lepiej.

A ty mógłbyś nie utrudniać, skoro i tak jest źle. Nie dość, że nie pozwalasz mi spać na brzuchu, to jeszcze budzisz w środku nocy. Nie wiesz, że w ciemnościach demony są dwa razy silniejsze?

Więc nie budź. Nie pytaj. Na razie nie umiem. Nie umiem być dla ciebie matką.

I nawet nie umiem cię za to przeprosić.

Do: Monika <karmelia76@gmail.com>

Temat: Naiwna

No cóż, nie ja pierwsza i nie ostatnia.

Wiesz, ciągle zastanawiam się, czy mogę o swoim małżeństwie powiedzieć choć jedną rzecz, która byłaby prawdą. Okazuje się, że według K nawet nie pasowaliśmy do siebie. Wszystko to jedno wielkie kłamstwo, pieprzona fikcja. Toast za Agatę, królową naiwnych.

Wszystko zaokrąglił po swojemu. Nawet seks. OK, może trudno to nazwać seksem, ale przedostatniego dnia przed wyprowadzką zaserwował mi taki numer, że do końca życia będę wspominać.

Tak, napisałam już odpowiedź. Niech żyje Google, wspomożenie wiernych – niedouczonych. Załączam.

Odpowiedź na pozew o rozwód

W związku z pozwem o rozwód złożonym w dniu 5 sierpnia 2009 roku przez Jakuba Leśniaka, wnoszę o:

Rozwiązanie małżeństwa zawartego przez mnie z Jakubem Leśniakiem w dniu 29 sierpnia 2005 roku w Urzędzie Stanu Cywilnego w N — numer aktu małżeństwa 123/05 — poprzez rozwód bez orzekania o winie.

Uzasadnienie

Strony zawarły związek małżeński w 2005 roku. Po czterech latach trwania związku powód podjął nagłą decyzję o odrębnym zamieszkaniu, tłumacząc ją całkowitym wygaśnięciem uczuć.

Pozwanej zależało na utrzymaniu małżeństwa i podjęła próbę ratowania go. Jednak powód nie chciał próbować ani dłużej trwać w związku.

Ponieważ pozwana chce uniknąć wszelkich sytuacji konfliktowych i wciąż w pewien sposób darzy powoda uczuciem, zgadza się na rozwiązanie małżeństwa bez orzekania o winie.

Agata Leśniak

Którego to dzisiaj mamy? Już siódmy września? To znaczy, że jeszcze osiem dni urlopu i powrót do... No właśnie, do czego? Do normalności, codzienności?

Chcesz wracać? Tu jest nam dobrze. Można udawać, że przyjechało się znikąd, że problemy właśnie w tym znikąd zostały.

Co jest teraz najważniejsze? Słońce. Jasnożółta kula świeci prosto w twarz. Mrużę oczy.

Czekaj, podciągnę sweter.

Ciepło ci? Obróć buzię do słoneczka.

Nie musimy się spieszyć. Tutaj niedziela to NIEDZIELA. Mówię dużymi literami, bo jedyny sklep we wsi jest zamknięty na cztery spusty, a ludzie wylegują się w słońcu jak koty, celebrują siebie.

W mieście — inaczej. Szybciej, głupiej. Niedziela to taki dzień, kiedy można nadrobić zaległości z całego tygodnia: zrobić zakupy, wyprasować ubrania i tak przegonić cały dzień, żeby nie różnił się od tych czarnych. Mówię ci po kalendarzowemu: poniedziałek, wtorek, środa, czwartek, piątek i sobota mają kolor czarny, niedziela jest czerwona jak mak, jak ogień. I widzisz, u większości ludzi niedziela jest czerwona tylko w kalendarzu.

Rozumiesz coś z tego?

Do: Monika <karmelia76@gmail.com>

Temat: 15 września

Za osiem dni wracam. Lekarz kazał nam się po piętnastym stawić do kontroli, odebrać wyniki badań i takie tam. To co? „Maleńka?"

Choć, prawdę powiedziawszy, dalej nie mam ochoty na rozmowy. Nawet z Tobą — nie gniewaj się, kangurku :) Łatwiej mi w mailach.

Nie chcę wracać. Tu jest tak pięknie i spokojnie. Mogłabym Ci całego maila o tych pierdołach posunąć, ale po co masz się męczyć i w głowę pukać :) Opowiem to jemu. W odróżnieniu od Ciebie, chce słuchać.

Do: Monika <karmelia76@gmail.com

Temat: Sroka

No ile tych pytajników i wykrzykników? „Jaki lekarz? Jaki on? Jesteś chora? Pisz natychmiast, do cholery!"

A właśnie, że nie! Przed domem drą się sroki. Muszę mu je pokazać.

Wiesz jak ważna jest sroka? Mówiłaś o tym Michaśce?

A sroka, synku...

No właśnie, od początku mówię do ciebie: „synku", bo mam ogromną nadzieję, że jesteś chłopcem. A jeśli nie, to przepraszam cię... dziecko, ale na razie tak właśnie będę do ciebie mówić.

Pytałeś, jak wygląda sroka. To dość duży, czarno-biały ptak. Podobno bardzo mądry. Dużo ich w tym roku. Wróbla nie uświadczysz, a te krzykaczki są wszędzie. Słyszysz, jak się wydzierają? Siedzą na płocie, cztery, i coś zawzięcie bojkotują. Poczekaj, zobaczę, o co im chodzi.

Aha. Kot. Duży kocur leży na boku i wygrzewa się w słońcu. Niby nie zauważa srok, niby je lekceważy, ale ucho co chwilę nadstawia w kierunku wrzaskul, a czubkiem ogona coś im obiecuje na przyszłość. Nie grozi, nie straszy, tylko właśnie obiecuje.

Kot? O kocie opowiem ci w domu. Przypomnij tylko.

Do: Monika <karmelia76@gmail.com>

Temat: TAK!

Tak! Jestem stuknięta.

I w dodatku – w ciąży.

Pierwszy naprawdę zimny ranek.

Chłodna mgła okrywa łąki, wije się między drzewami. Słońce stempluje ziemię jasnymi plamami, rozrzedza powoli przejrzyste zasłony. Krzewy i kwiaty są nieruchome, zziębnięte przedsmakiem jesieni. Pojedyncze liście opadają z drzew. Lato powoli się przeżywa, synku.

Idę leśną drogą. Przeskakuję od jednej plamy słońca do drugiej. Wygrzewam się w nich. Ciepło powoli roztapia napięte mięśnie twarzy i ramion, wnika w głąb ciała. Czujesz? Opieram plecy o pień sosny. Funduję sobie transfuzję, wymieniam stres na spokój i siłę drzewa.

Zamykam oczy.

Mogę sobie na to pozwolić. Jeszcze nie świdrujesz mi płaczem głowy, nie poganiasz zniecierpliwionym: „maaamo!". Na razie to ja decyduję o tym, co zjesz na obiad i dokąd pójdziemy na spacer. Potem na pewno nie będzie tak łatwo. Niesprawiedliwa proporcja: dziewięć miesięcy do przynajmniej szesnastu lat.

Czy kobieta, która chce dziecka, myśli w ten sposób?

Do: Monika <karmelia76@gmail.com>

Temat: 2 razy NIE

Odpowiadam:

nie, nie jestem wiatropylna, od patrzenia też nie zaszłam.

To było, moja droga, pokalane poczęcie. Pokalane brakiem miłości, czułości, ot – nieistotny akt seksualny.

Kiedy? No, przedostatnim rankiem przed wyprowadzką. Pisałam Ci kiedyś, że od paru miesięcy jakoś się nam nie układało. A wiesz, czym głupia kobieta próbuje ratować sytuację? Dupą – oczywiście ubraną w kusą haleczkę.

Nawet jej nie zdjął, nie zauważył. Ba, mnie nie zauważył, co tam głupia koszulka! Zapytał tylko: „nie masz płodnych?". Potem, nie dotykając, nie obejmując, odwalił półminutowy koncert na fiuta. Bisów nie było.

Spuścił we mnie życie. Nie dał, ale spuścił. Jak w kibel.

Do: Monika <karmelia76@gmail.com>

Temat: NIE WIEM, co zrobię…

Nie przepraszaj. Za co? Obrzygałam Cię swoją historią i tyle. Trochę mi lżej.

Piszesz, że najpiękniejsze dzieci rodzą się z braku miłości. Zatem Twoje będzie najbrzydsze na świecie?

Tak, jestem wulgarna, cyniczna, inna niż wcześniej. A jaka mam być po tym wszystkim? Czuję wstręt do K, do siebie. Rzygać mi się chce, rozumiesz? I to bynajmniej nie z powodu ciąży.

Ja to już nie ja. Albo to dopiero ja, prawdziwa ja...? Może do tej pory lizałam życie przez szybkę, świeciłam odbitym światłem? Głupia, nudna, naiwna dziewczynka z zapałkami. Patrzę na siebie wstecz jak na bohaterkę filmu, książki. I wiesz, co widzę? Obcą osobę, nieprawdziwą, niedorysowaną, papierową, cholera jasna.

W końcu Agatka dotknęła życia, ubabrała się nim. Obudziła?

Wiesz, ciężko zgrzeszyłam przeciw pierwszemu przykazaniu. Ulepiłam sobie bożka z gówna. *Ave, ave*, wielbię ciebie mężu mój. Ha, ha — największą głupotą jest wierzyć w niezmienność rzeczy i zjawisk. Jedyną stałością jest świadomość zmian i ich akceptacja. To też Feng Shui. Prawda, że lepsze niż sranie w banie z kątami miłości itp.?

Nie, nie mówiłam mu. Po co? Myślisz, że się wygrzebie z życia i cipy KatJi? Otrzepie jądra i mózg ze wspomnienia tej dziewczyny (jak wędrowiec buty z kurzu?) i wróci mnie kochać i czcić? Swoją drogocenną, ciężarną niewiastę?

Nie wiem, co zrobię.

Ale na pewno mu nie powiem.

Dziś będzie trochę o życiu. A właściwie o jego początku. Więc: biologia, filozofia i pewnie coś tam jeszcze. Nieważne, zbyt dużo wiedzy teoretycznej, uporczywa mania nazywania wszystkiego, przeszkadza w rozumieniu świata.

Zatem do rzeczy. Na początku, synu, było jajo. Było, jest i będzie.

Często jajo pozostaje tylko jajem — niewykorzystanym potencjałem. Ale nie zawsze. Poczekaj, coś policzę.

Dobrze. Twój numerek porządkowy to coś około 216 (zakładając cykle owulacyjne — elaborację na ten temat pomijamy), jajo numer 216. Rozumiesz, synu? Dopiero ono dostało impuls z zewnątrz, zgodę na ciąg dalszy. I to był twój początek. Początek procesów biochemicznych, po mojemu — cud (nie wymaga skonkretyzowanego nazewnictwa, prawda?).

Pytasz, skąd temat dzisiejszej lekcji? Z lasu, synku. A dokładnie: z wysypiska śmieci w tym lesie.

Królują tu resztki muszli klozetowej — rodzaj nocnika dla dorosłych. A tu, popatrz: ktoś miał dobry gust — ładne te płytki z konwaliowym wzorkiem. Gust w porządku, ale kultury za grosz. Własny domek czyściutki, wylizany, a śmieciuszki bach! — do lasu. I jeszcze mokasyn. Obrośnięty mchem kapcioch leśnego dziada.

Jest i pięć złotych, stare, z rybakiem na awersie. Awers? To ta ważniejsza strona, brzuch — powiedzmy. Rewers — pupa. Jasne? Świetnie, monetę zabieramy do domu.

Ale nie zabierzemy strusiego jaja, które przysiadło obok klozetu. Skąd w lesie, w maleńkiej wiosce, wzięło się jajo strusia?

O tak, jest bardzo duże. Mogłoby pomieścić ze

dwanaście kurzych jaj. Wyobrażasz sobie tyle jajecznicy? Mniamu, miamu.

Konsternacja, co z tym jajem, synu. Do domu go nie zabierzemy, tutaj zaśmierdzi się po paru dniach.

Już wiem. Poczekaj, znajdę odpowiedni kamyk.

Mam. Uwaga, mama daje!

Słyszałeś? Pękło. Mały kawałek skorupki wpadł do środka — teraz ptaki i inne zwierzęta na pewno sobie z nim poradzą. I, zgodnie z przysłowiem, nic w naturze nie zginie, synku.

Do: Monika <karmelia76@gmail.com>

Temat: Płacz ciała

OK. Uspokajam się. Przynajmniej spróbuję.

Faktycznie może przesadziłam z tymi określeniami. Ale tak się czuję. Poza tym już wykrzyczałam emocje i mi lżej, kochana. Dzięki, że jesteś. Co u Ciebie? Tak się zafiksowałam na sobie, swoich sprawach, że zapomniałam o Was. Czujecie się dobrze? Z Adrianem OK.? Pogłaszcz kangurzątko :)

Nie, Monika. To nie wchodzi w rachubę. Na długo przed ciążą widziałam taki filmik:

Ciemnowłosa kobieta idzie ulicą, słoneczny dzień koresponduje z zadowoleniem na jej twarzy. Pewnie ma w planach kawę z przyjaciółką lub – jeszcze lepiej – randkę. *Full* optymizm generalnie.

Następne ujęcie. Dziewczyna – nadal zadowolona z siebie i świata – otwiera przeszklone drzwi. Aha, przychodnia lekarska jakaś. Miła pani z recepcji serwuje uśmiech i formularz do wypełnienia.

A potem – rozwinięcie akcji. Anestezjolog delikatnie układa bohaterkę filmu na stole operacyjnym, głaszcze jej włosy i powoli sączy niebyt w żyły.

Kalejdoskop sekwencji: zapalona lampa, przygotowane na tacy narzędzia, uniesione pod kątem prostym, rozchylone uda kobiety, kadr na dłonie chirurga.

A potem już tylko szybkość i precyzja olateksowanych dłoni. Włóż, wyciągnij, włóż, jeszcze raz. I ssanie. Proces antystworzenia dobiega końca. Rozszydełkowane dziecko rodzi się na świat wraz z krzykiem i drgawkami byłej matki. Znieczulenie okpiło mózg, nie do końca radząc sobie z resztą. Ciało wyrwało się spod kontroli leku, protestuje, płacze...

Jeszcze policzyć. Tak... mamy wszystko. Światło gaśnie.

I ostatnia migawka. Uśmiech na twarzy kobiety opuszczającej klinikę. Ciało już zsynchronizowane z umysłem (?). Naprawdę – nie bolało, nie. To teraz kawa albo ta randka.

Znów Ci pewnie zabałaganiłam psychikę? Mimo wszystko, nie myśl o tym za dużo. Dziecko (nie używam słowa płód – jest takie ziemne, naukowe) słyszy, mówi. A jeśli potrafi też odbierać myśli i obrazy z naszego mózgu, to lepiej, żeby jak najpóźniej dowiedziało się, że przyjdzie na pełen potworności świat.

Do: Monika <karmelia76@gmail.com>

Temat: małe wyBRZUSZenie

Eee tam. Żaden instynkt macierzyński się we mnie nie obudził. Generalnie kwestię brzucha, a raczej tego, co w nim jest, podciągam teraz pod kategorię abstrakcji. Tak jest mi łatwiej. Wiesz, ciągle mam nadzieję, że to sen. Że jednak się obudzę.

Ale coś Ci powiem. Nie kocham go – tego jestem pewna. Jednak, mimo wszystko, jest najważniejszy. Gdybym miała wybierać między nim a Kubą – wierz mi – nie byłoby żadnego wahania. Żadnego. Pokręcone mam w głowie, nie?

Tak, byłam u Dziada. Potwierdził ciążę, pogderał – jak to on. Kazał się cieszyć i dbać o siebie.

Koniec końców zostałam sama, sama z dwoma kreskami. A dwa to podobno lepiej niż jeden…? No, akurat w tym przypadku nie sądzę.

***

Pisząc tego maila, Agata w najdrobniejszych szczegółach rozpamiętywała wizytę u ginekologa. Właściwie nie musiała tego robić, bo cały czas miała ją w głowie, jak dobrze zapamiętany film.

Knapińskiego, z racji wieku, nazywały z Moniką Dziadem. Ponad siedemdziesięcioletni, ale bardzo ruchliwy, zazwyczaj bywał trudny i przy byle okazji potrafił ryknąć jak lew. Wyleniały, ale jednak lew.

— Co dobrego słychać? — zapytał, gdy Agata weszła do gabinetu.

— Dobrego to nic — odpowiedziała. — Jestem w ciąży.

Popatrzył uważnie, po swojemu.

— Podejrzewa pani ciążę, tak?

Wypytał o ostatnią miesiączkę, dolegliwości i inne tego typu rzeczy, a potem krótkim, zapraszającym gestem wskazał parawan.

Badał ją jak zwykle. Ręka w ciało, oczy wzniesione do nieba. Agata też gapiła się do góry, licząc musze kropki na dużej lampie.

— O, jest! — ucieszył się Knapiński w imieniu pacjentki, przyklepując tym samym meldunek dla dzikiego lokatora.

Nadzieja — matka głupich — chichotała jej w krocze, a łzy ciekły aż na kark. Lekarz bez słowa położył dłoń dziewczyny na jej własnym podbrzuszu.

— Czujesz, dziecko? — Swoją ręką podpowiadał, gdzie i jak. — Tu, tu jest twoje maleństwo.

— To twarde? — Agata już sama wodziła palcami po małym wybrzuszeniu, nie mogąc jednocześnie wyjść z podziwu, że je czuje.

— Chodź. — Pomógł jej zejść z fotela. — Podejrzymy je jeszcze na USG. Będziesz miała pierwszą fotkę do albumu. Zajrzymy sobie przez wizjerek. — Knapiński cieszył się, jakby to on miał zostać ojcem. — Puk, puk. — Dotarł głowicą aparatu do szyjki macicy. — Wszystko pięknie, wymiarowo. Zgadza się z ostatnią miesiączką, czyli dziesiąty tydzień. Jest i serduszko — na bieżąco komentował obraz. — A teraz popatrz sama. — Przesunął monitor w jej stronę.

Mały kręcił się jak wrzecionko, cały czas był w ruchu. Przypominał mały wózeczek z płetewkami kończyn.

To faktycznie niesamowite, abstrakcja do kwadratu — myślała Agata. On sobie skacze, wyjęty ze mnie w ekran monitora, a ja tego nie czuję!

— Na pamiątkę. — Lekarz wydrukował czarno-białe zdjęcie i włożył Agacie do ręki. — Ubierz się dziecko, uzgodnimy jeszcze parę spraw.

Była bardzo zdziwiona, że Dziad, zwykle furiat i nerwus, był tym razem do rany przyłóż. Wypisał badania, zalecenia, witaminy, a potem oparł się o krzesło i patrzył na nią uważnie.

— Boisz się, dziecko?

Kiwnęła głową.

— Możesz liczyć na czyjeś wsparcie? Męża? —

Szukał wzrokiem obrączki. — Może partnera? Rodziców? — próbował dalej.

— Rozwodzę się — mruknęła.

Wyraźnie zacisnęły mu się szczęki.

— Zostawia cię z brzuchem?!

— Nie, nie. — Pokręciła głową. — Sytuacja jest dużo bardziej skomplikowana, ale nie chcę o tym mówić. To nie jest największe zmartwienie. Ja... ja nie wiem czy w ogóle chcę tego dziecka. Czy dam radę...

— Rozważa pani aborcję? — zadał pytanie neutralnym tonem.

Pokręciła głową.

— To będzie pani dobrą matką. Gdyby miała pani wyrządzić mu krzywdę, już by pani to zrobiła. Poza tym — wziął Agatę za rękę — musisz mi, dziecko, w tej chwili uwierzyć na słowo. Nie ma nic piękniejszego od tego, co dzieje się w tym momencie w twoim brzuchu. No, może z wyjątkiem momentu, kiedy mały grzdyl złapie panią za nogę i powie: „mama".

I po zawodach. Agata rozryczała się tam na miejscu, pośród wszystkich wzierników i parawanów, naprzeciwko rozkraczonego fotela ginekologicznego.

— Nie może się pani teraz denerwować — Knapiński uspokajał. — Każda sekunda jest ważna dla dziecka. Stres wpływa negatywnie na płód, który potem, z nawiązką, oddaje go matce kopniakami. Nie mówiąc już o późniejszych trudnościach zdrowotnych i wychowawczych. Nie wolno. — Pogroził jej palcem. — Nie wolno się denerwować. Pani ma stanąć na rzęsach, a ma je pani długie i piękne, żeby małemu było okej. Jasne? Poza tym dobrze się odżywiać, tu daję rozpiskę, co, jak i czego nie, wysypiać się i dbać o siebie. Zrobić badania, wypisuję jakie, na wypadek sklerozy ciążowej — uśmiechnął się. — I widzimy się za miesiąc.

— Panie doktorze?

— No, co tam jeszcze?

— A może ja już jestem za stara na pierwsze dziecko?

— Niechże pani głupot nie opowiada! — Dziad momentalnie złapał zwykłą formę. — Trzydzieści pięć lat! Co to za wiek! A może zamieniłaby się pani ze mną? — Rozsunął zmarszczki uśmiechem.

— No... nie. — Knapińskiemu się nie kłamało. I to zwłaszcza w tak drażliwej kwestii jak wiek.

— To mamy jasność? W każdym calu? — upewnił się. — Proszę, tutaj jest karta ciąży i inne niezbędne karteluszki. Do widzenia z państwem za miesiąc.

Nie odczuwam z tobą żadnej więzi. Nic z tego, o czym czytałam, co widzę w oczach przyszłych matek.

Przez przypadek zaplątałeś się w moje ciało, bracie, kolego. Przeczesujesz mi hormonami psychikę, przemodelowujesz powoli ciało. Spodni nie zapnę już na guzik, suwak łapie cię ząbkami tylko do połowy. A ja w zasadzie nadal płaska. Może prze-

płynąłeś sobie do piersi? Daję słowo, rosną dużo szybciej niż brzuch.

I tyle, nie licząc oczywiście takich drobiazgów, jak misterny, upleciony z żyłek stanik czy gruzełki wokół brodawek. Takie małe przypominajki, które zapijam melisą. Kwas foliowy i witaminy dla ciebie, herbatka dla mnie. Niewiele pomaga, takie placebo dla psychiki.

Kąpiel na ukojenie nerwów, braciszku? Dość ciepła, taka, jaką lubię, ale nie bój się, nie ugotujesz się w podwójnym garnku. A jeśli tak, to znaczy, że za słaby byłeś na życie...

To co? Test na siłę? Pełne zanurzenie.

Do: Monika <karmelia76@gmail.com>

Temat: W dupie to mam

Ej, nie praw mi kazań! Przynajmniej Ty tego nie rób! Jeszcze się nasłucham, gdy brzuch zacznie kłuć w oczy nasze miejscowe plotkary. Daruj sobie więc, jaśnie poukładana panno roztropna.

Oprócz posuwania pierdołów do brzucha – jak to ładnie nazwałaś – nie robię już nic. Rzeczywiście, moja wina, że zaszłam sobie za daleko, nie mając stałej pracy. Ale dzieci mają to do siebie, że pojawiają się w nieodpowiednim momencie tam, gdzie się ich nie oczekuje.

Nie wiem, jak utrzymam siebie, dziecko i dom. Nie wiem, nie wiem. NIE WIEM!

Oczywiście, że odwiedziłam wszystkie instytucje upodlenia człowieka. Nabyłam w nich bardzo podstawową, prostą wiedzę; państwo ma mnie w dupie, a polityka prorodzinna to fikcja. Umiesz liczyć, licz na siebie – to od dziś moja dewiza.

Nie, bezrobocie mi się nie należy. Bardzo niemiła pani usiłowała wytłumaczyć mi, że jestem nierobem, jednostką nierokującą, bo zarabiałam poniżej płacy minimalnej 1200 brutto na miesiąc (sic!). I nic do rzeczy nie ma tu fakt, że pracowałam na pół etatu. Zasiłki też nie dla mnie. „Najlepiej by było, jakby się pani rozwiodła" – poradziła mi pewna głupia, urzędnicza krowa – „wtedy byłyby jakieś pieniążki dla samotnej matki". Ot, polityka PROrodzinna, co się zowie. Dobre to państwo, co zmusza obywatela do kombinowania. Makiawelizm, kurwa mać.

I na koniec absolutna wisieneczka na torcie. Umowa o pracę skończyła mi się, zanim zaczęłam trzeci miesiąc ciąży. Zanim w ogóle się o niej dowiedziałam. Gdybym miała te parę tygodni więcej na liczniku, pracodawca musiałby przedłużyć umowę, a ZUS grzecznie wypłacić macierzyński. A więc, według prawa, do trzeciego miecha jestem na pewno wszystkim innym niż kobietą w ciąży. Paranoja, nie?

No i co? Nic. W dupie mam taki kraj i taką politykę.

Od dziś państwo to ja.

Do: Monika <karmelia76@gmail.com>

Temat: Chcesz poznać KatJę?

Jeśli tak, to będzie czekać na Ciebie na rogu Dworcowej i Kasztanowej. Nie przegapisz jej na pewno: długie ciemne włosy i ciało-marzenie. Ubrana skąpo. Zresztą załączam zdjęcie z kolekcji Kuby. Na wypadek ślepoty ciążowej.

Do: Monika <karmelia76@gmail.com>

Temat: KatJa wszędzie jest

Czyli jeszcze wisi? No tak, dobrą mam pamięć. Kiedy zobaczyłam to zdjęcie w poczcie Kuby, od razu miałam wrażenie, że skądś ją znam. I jeszcze ten baran romantycznie wyznawał: „Codziennie, gdy jadę do pracy, patrzę na Ciebie. I, wiesz? Jestem bardzo zazdrosny, gdy widzę, jak inni mężczyźni gapią się na Twoje zdjęcie. Jesteś taka sexy w tej bieliźnie...".

Uśmiejesz się. Pewnie bym jej nawet nie zauważyła, gdyby nie to, że coraz lepiej prowadzę samochód. Bezbłędnie trafiam ręką do przycisku otwierania szyb, do włącznika radia i przy tym jadę cały czas swoją stroną drogi! Mało tego — świat widziany od kółka nabiera barw i szczegółów. Nie ogranicza się już tylko do jezdni i znaków. A wczoraj, wyobraź sobie, po raz pierwszy bez stresu skręciłam w lewo z podporządkowanej! Zaraz za tym skrętem euforia poszła się paść, gdy wpadłam prosto między nogi KatJi. O, świetnie! Witaj skarbie, niemiło cię poznać, dziwko jedna!

Zatrzymałam samochód i długo patrzyłam na billboard, którego miniatura wryła mi się już wcześniej w mózg. Potem skutecznie pozdrowiłam dziewczynę swojego ciągle-męża. Pomidory były takie soczyste...

A teraz już bez ironii i sarkazmu. Przyznam się tylko Tobie. Stałam pod tym plakatem i płakałam. Tak bardzo wypadłam na niekorzyść we własnych oczach. Nie dziwię się wcale, że stracił dla niej głowę. Głupia, babska, zraniona godność.

I powiem Ci jeszcze, gdzie jestem. W M. – miejscu, do którego przyjeżdżaliśmy rokrocznie z Kubą. Ona też tu przyjechała. Ironia losu, prawda? Weszła w moje życie i nie mogę się jej pozbyć. Jakby jej było mało tego, że przecież wygrała.

Uprzedzę Twoje pytanie, bo wiem, że i tak spytałabyś. Mam rację, prawda? Przyjechałam tu rozliczyć się ze swoim demonem, rozeznać, na ile zamknęłam rozdział pt.: „Kuba" w swoim życiu, zobaczyć jak wyglądają znajome miejsca, widziane już tylko moimi oczami.

Rozpoznanie:

Tu ciągle jest pięknie, najpiękniej właśnie późnym latem. Niemiecka architektura, precyzja, dbałość o szczegół w otoczeniu gór i lasów. Zamki i pałace, wodospady i stawy, stare cmentarze, nieczynne dworce i zarastające tory kolejowe. To tak w dużym skrócie, żeby Cię nie zanudzić :) Już widzę, jak ziewasz :)

Odwiedziłam wszystkie ulubione miejsca. Wydają się takie same, ale ja widzę je przez pół. Nic tu już nie ma sensu bez Kuby. Nawet ptak, który przeleciał z gałęzi na gałąź. A wiesz dlaczego? Bo on tego nie widzi.

Paradoksalnie, nic tu już nie ma sensu także z Kubą…

Do: Monika <karmelia76@gmail.com>

Temat: Zapomniałam

Zapomniałam Ci napisać, że wczoraj dzwonił do mnie Kuba. Pięć razy. I jeszcze raz dziś rano. Nie odebrałam.

Czy jesteś bardzo gruba? Nie, nie pisz. Zobaczymy się przecież za parę dni. Sama ocenię :)

Do: Monika <karmelia76@gmail.com>

Temat: brak tematu

A ciotka, wyobraź sobie, by mnie pochwaliła. Zawsze mówiła, że facetom na szyję się rzucać nie należy. I w ogóle nadmiernie pchać z czułościami.

Zresztą, co? Coś mu się tam nie poukładało i już dzwoni do starej, sprawdzonej żony?

Nie obchodzi mnie, że to jego dziecko. K nie chciał mnie, więc nie chciał też nas. I bardzo Cię proszę, żebyś nic mu nie mówiła, gdybyście się przypadkiem spotkali. W ogóle nikomu nic.

Głasknij młode ode mnie.

Bardzo skomplikowałeś moje życie.

Jeszcze cię nie ma po tej stronie, a już muszę cię chronić. I zdecydować, czy pozwolić twojemu ojcu cię mieć. Zaznaczam, nie jest to tożsame z byciem we trójkę.

Nie urodzisz się w szczęśliwej, kochającej się rodzinie. Na razie nie masz nawet jednej osoby, która na ciebie niecierpliwie czeka. Ale jeśli w tej kwestii coś się zmieni, na pewno dam ci znać.

Wiesz, ostatnio usłyszałam, że dobro nie staje się ot, tak sobie, w jednym momencie. Kiełkuje dużo wcześniej, w bardzo trudnych nieraz warunkach, gdy absolutnie nic go nie zapowiada.

To TY*?*

Do: Monika <karmelia76@gmail.com>

Temat: PD: przeczytaj, zanim skasujesz!

------ Wiadomość oryginalna ------

Temat: przeczytaj, zanim skasujesz!

Nadawca: Kuba <kubi@gmail.com>

Adresat: Agata <agatha76@interia.pl>;

Agata, do cholery!

Rozumiem, że nie chcesz ze mną rozmawiać. Ale, możesz mi wierzyć lub nie, nie dzwoniłbym do Ciebie, gdyby to nie było ważne.

Twoja ciotka jest w szpitalu. Chyba nie jest najgorzej, ale szczegółów nie znam.

Mechanicznie przesłała Monice wiadomość od Kuby, czerwona ze wstydu i upokorzenia. Myślała... Myślała, że on coś zrozumiał i chce wrócić. I, oczywiście, próbowała mu pokazać, kto teraz będzie rozdawał karty.

— Idiotka! — Pochyliła się i uderzyła czołem w stół.

I egoistka. Skoncentrowana na czubku własnego nosa, nawet nie pomyślała, że Kuba mógł dzwonić do niej w zupełnie innej sprawie niż ich własna. Że ktoś oprócz niej także może mieć problemy. Nie do wiary, no!

Ciotka? Co mogło się stać? Wyjątkowo nie narzekała na nic, kiedy widziały się po raz ostatni. Bardzo zaniepokojona, wybrała numer Kuby.

— Co z ciotką? — zapytała od razu, gdy tylko usłyszała jego głos.

— Nie wiem dokładnie. Podobno upadła i bardzo się potłukła. Agata?

Milczała.

— Agata, gdzie ty się podziewasz?

— Nieważne. Zaraz się pakuję i wracam.

— Martwiłem się...

— Niepotrzebnie — ucięła. — Dziękuję za wiadomość o ciotce. Najpóźniej jutro będę u niej w szpitalu. Cześć.

Jak mam cię wychować na mądrego człowieka, skoro sama jestem taka głupia? Oczekuję od świata wszystkiego, nie dając nic w zamian.

Boże... Dziecko urodzi dziecko.

Machinalnie pakowała rzeczy do torby. Poruszała się po pokoju tak, żeby nie musieć patrzeć w lustro. Najchętniej dałaby sobie w twarz za ciotkę. Zawinęła się na miesiąc, wciskając jej piątkę kotów i ani razu przez ten czas do niej nie zadzwoniła.

Za Kubę też by się stłukła. I to mocno. Powinna była odebrać jego telefon za pierwszym, no, za drugim razem. Swobodnie powiedzieć: „cześć" i nawet zapytać, co u niego dobrego słychać. Tak byłoby elegancko, z klasą. Na poziomie, no.

— A właściwie... czy ja zawsze muszę komuś coś udowadniać? Udawać kogoś innego niż jestem? — Gniewnie zasunęła torbę. — Jestem, jaka jestem, klasy nie mam za grosz. Według Kuby, oczywiście.

Agata przejrzała jeszcze raz pokój, zajrzała pod łóżko i do łazienki. Chyba zabrała wszystko.

Jakie to wszystko jeszcze proste — doceniła w myślach swoją sprawność logistyczną. A co potem? Grymaszące dziecko, zarzygany fotelik i tysiąc jeden bambetli. I jedna para rąk, żeby to wszystko ogarnąć.

Zsuwając torbę po schodach, zeszła do samochodu.

***

— Blado wyglądasz. — Nina przyglądała się Agacie z dezaprobatą. — Ciągle nie wiesz, co to takiego róż? Kobiety w twoim wieku nie zdobi już sama młodość.

— Dać ci, ciociu, lusterko? — odparowała bezmyślnie i przerażona zatkała usta dłonią.

Starsza pani parsknęła śmiechem.

— Moja krew. — Zatarła ręce z uznaniem. — Zawsze wiedziałam, że w tobie siedzi niezły diabeł. Nie wiem tylko, czemu tak długo udawałaś grzeczną i potulną. Ładnej kobiecie w życiu łatwo, a ładnej i pyskatej — jeszcze łatwiej.

— Jeśli chodzi o urodę...

— Jeśli chodzi o urodę, to odziedziczyłaś ją w sporej części po mnie — pięknej Ninie. Resztę da się sztucznie podpędzić. A pyskatą to już trzeba się urodzić.

Taaa, najwyraźniej dowcip i elokwencja ciotki w żaden sposób nie ucierpiały podczas wypadku. Reszta wyglądała mizernie. Przez rzadkie, nieułożone włosy przeświecała skóra głowy, a pozbawiona makijażu twarz wyglądała staro i obco.

— Trochę wyleniałam, co? — Ciotka zakręciła się niespokojnie pod wzrokiem Agaty. — Masz może szminkę, puder, cokolwiek? Tak oczywiście przez przypadek?

Agata wyciągnęła z torebki okrągłe pudełeczko

i podała krewnej, która z widoczną ulgą przypudrowała sobie twarz.

— Trochę lepiej — oceniła. — Ale przydałaby mi się jeszcze kredka do brwi, perfumy, porządny szlafrok i koszula nocna. Ta marki Szpital jest kompletnie nietwarzowa.

— Zaraz pójdę do twojego mieszkania i wszystko przyniosę.

— Jest późno. Za chwilę kończą się odwiedziny. A ty wyglądasz, jakbyś się miała zaraz przewrócić. I gdzie w ogóle byłaś przez tyle czasu?! Mogłabym umrzeć, a ty nawet byś nie wiedziała!

— Przepraszam. Powinnam była zadzwonić. Zostawić ci nowy numer komórki albo cokolwiek.

— Dobrze już, dobrze. — Ciotka nie lubiła rozwodzić się nad tym, co było. — To gdzie się podziewałaś?

— Musiałam wyjechać — mruknęła Agata, nie chcąc na razie wtajemniczać jej w szczegóły.

— Coś kręcisz. Czy ja o czymś nie wiem?

Od odpowiedzi wybawiła ją pielęgniarka. Podeszła do łóżka ciotki i powiedziała:

— Pani Bielecka, profesor Sokolnicki zaraz panią odwiedzi.

Agata odetchnęła z ulgą. Jeszcze chwila i krewna rozeznałaby się w jej głównym problemie, herbu Ciąża. Starsza pani miała niebywałą wręcz intuicję i jeszcze lepszą zdolność dowiadywania się tego, czego dowiedzieć się chciała. Właściwie Agata nie dałaby sobie głowy uciąć, że ciotka nie miała już jakichś podejrzeń.

Teraz jednak kręciła się zaaferowana, wydając siostrzenicy polecenia:

— Strzepnij proszę, moja droga, kołdrę i wygładź poduszkę. — Przygryzała sobie usta i podszczypywała policzki. — Jak wyglądam? To stary, dobry znajomy i jeszcze tego...

— Tego co? — Bacznie przyjrzała się ciotce. Czyżby ta szatańska babka chciała po raz czwarty wydać się za mąż?

— Idź już, dziecko, idź — pogoniła ją krewna. — Zobaczymy się jutro. Aaa, byłabym zapomniała. Koszula, ta w niebieskie kwiatki, jest w komodzie, szlafrok wisi w łazience, a kosmetyki znajdziesz w kuferku, który stoi na parapecie w sypialni. Do widzenia, tak, tak. Witam, profesorze. — Momentalnie ocukrzyła głos.

— Janinko! Tyle razy prosiłem! Jerzy jestem. Jurek.

Ma miły głos, pomyślała Agata, oglądając się dyskretnie. Reszta — profesorska: zaczesane do tyłu włosy, narzucony na ramiona kitel.

Zerknęła jeszcze na ciotkę, ale ta brylowała już w przestrzeni jeden na jeden.

***

Tofi łasiła się do kolan właścicielki, mrucząc głośno. Agata czule głaskała futerko kocicy.

— Przepraszam, że cię zostawiłam na tak długo. Zaraz się spakujemy i wracamy do domu. A gdzie reszta? — Rozejrzała się po pokoju.

— Pan Kuba znalazł im domy. — W rękach pani Marii migały druty. — Został tylko jeden. Pan Kuba mówił, że na pewno chciałabyś go zatrzymać, Agatko.

Zmarszczyła brwi. W jej po-Kubowym życiu od przedwczoraj było Kuby zdecydowanie za dużo. Nie odezwała się jednak, nie chcąc prowokować rozmowy na niemiłe tematy.

— Gdzie on jest? — zapytała.

— Pewnie śpi w wersalce.

Agata podniosła siedzisko. Czarny kłębuszek rzeczywiście tam był. Miauknął, zbudzony ze snu, a Tofi przeciągnęła się leniwie i weszła do wersalki. Kociak przytulił się do futra matki i po chwili słychać było mruczano-cmokany koncert na dwa pyszczki.

Ostrożnie zamknęła łóżko, szczęśliwa, że Kuba nie oddał Felusia, największej ofermy z całego miotu. Oferma przez dłuższy czas nie umiała przystawić się do cyca i Agata musiała przytrzymywać wierzgającą Tofi jedną ręką, a drugą cierpliwie przykładała kociaka do sutka. Feluś, najmniejszy, najsłabszy, był odpychany od brzuszka matki przez rodzeństwo. Agata często brała go do łóżka i tak oboje zaspokajali potrzebę bliskości.

Kotek długo nie umiał też miauczeć. Otwierał tylko pyszczek, z którego dramatycznie nie wydobywał się żaden dźwięk. Feluś mówił wyłącznie oczami, w zasadzie na początku swego istnienia redukował się do oczu: dużych, okrągłych, w których można było wyczytać esencję kociej jaźni.

Agata przez chwilę patrzyła na ułożone w symbol Yin-Yang koty, wyobrażając sobie, jak białawe krople przepływają z ciała matki do ciała syna. Jednokierunkowa droga mleczna, od zawsze warunkująca istnienie ludzi i zwierząt. Darowane życie, za które najlepszą, jedyną zapłatą jest przekazanie go dalej.

Powoli zamknęła wersalkę i usiadła na niej.

— Pani Mario...? W jaki sposób ciotka upadła? Pytam, bo nie za bardzo chciała się przyznać.

Staruszka złożyła druty i poprawiła okulary.

— Zamierzała umyć okno. Ale gdy tylko stanęła na drabinie, zakręciło się jej w głowie i spadła. Obiła się solidnie o parapet i kaloryfer.

No tak, uparta, zawsze licząca tylko na siebie ciotka Nina. Że też nie mogła być taka krucha i babciowata jak pani Maria! Agata zachodziła w głowę, jakim cudem tak różne kobiety mogły zgodnie sąsiadować przez ścianę i przyjaźnić się od tylu lat.

— Pójdę do siebie, Agatko. Skoro zabierasz koty, nie będę już potrzebna. Pozdrów Ninkę ode mnie.

— Tak. Dziękuję za wszystko, pani Mario. Bardzo dziękuję. Odniosę klucze, jak tylko spakuję ciotce torbę do szpitala.

Starsza pani cicho zamknęła za sobą drzwi, a Agata poszła do sypialni. Właściwie do małego pokoju, bo odkąd zmarł ostatni mąż ciotki, ta przeniosła się ze spaniem na wersalkę do saloniku. Żeby, jak mówiła, nie męczyły jej wspomnienia.

W pomieszczeniu było ciemnawo. Gruba, pomarańczowa zasłona przepuszczała mało światła. Agata odsunęła ją do połowy i ciekawie rozejrzała się po pokoju. Ciotka rzadko ją do niego wpuszczała, twierdząc, że nie ma tu nic ciekawego do oglądania. A ona uwielbiała to miejsce, jego dziwną, jakby martwą, niepokojącą atmosferę i wrażenie, że czas dawno się tu zatrzymał.

Pod oknem stała wysoka sofa, przykryta zieloną narzutą. Obok przycupnął starodawny nocny stolik, lampa z abażurem i dwie szafy, ustawione względem siebie pod kątem prostym. A za nimi była już najzwyklejsza graciarnia. Agata wsunęła się za zasłonkę skośnie łączącą rogi szaf. Nic się tu nie zmieniło. Ściany były zawieszone zdjęciami ciotki i jej kolejnych mężów, obrazkami, świątkami i pamiątkami z wielu sanatoryjnych wycieczek.

Dziewczyna podeszła do komody i wysunęła pierwszą szufladę, w której znalazła ręczniki. W drugiej leżały obrusy i zasłony. Koszule, w liczbie co najmniej kilkunastu, były ułożone w równiutkie stosiki na samym dole komody. Koronki, satynki, bawełny przewijały się przez ręce zdumionej Agaty, której nocną garderobę można było policzyć na palcach jednej dłoni.

— Chyba naprawdę powinnam uczyć się od ciotki — mruknęła.

Koszula w niebieskie kwiatki leżała z tyłu szuflady. Agata wyciągnęła ją, burząc idealny stosik.

Cholera! — zaklęła w myślach. Pedanteria ciotki mogła doprowadzić do rozpaczy! Sukienki, doskonale odprasowane, wisiały równiutko w szafie, a bluzki, sweterki i te koszule poskładane były niemal fabrycznie.

Wyrzuciła kolorową kupkę na ziemię i zaczęła składać pierwszą sztukę nocnej bielizny.

O tyle, o ile — oceniła w myślach wysiłki i włożyła szmatkę do szuflady.

Wtem jej palce zahaczyły o coś dziwnego. Agata pochyliła się i zajrzała do komody.

— Albo faktycznie mam coś z głową, albo to mi się śni — powiedziała do siebie i wyciągnęła z szuflady niebieski samolot. Chyba dokładnie taki, jaki widziała u tego dziwnego chłopczyka — Ignasia.

Obejrzała zabawkę uważnie, a potem znowu włożyła rękę do szuflady i obmacała jej tył. Było jeszcze coś — mała lalka z porcelanową buzią i takimi samymi rączkami, ubrana w staromodną sukienkę.

Zdziwiona Agata oglądała zabawki. Nina nie miała dzieci, skąd więc się tu wzięły, ukryte na samym dnie komody? I czy miały coś wspólnego z samolotem i lalką, które zobaczyła kiedyś u ciotki na fotografii?

W tym momencie ze ściany spadło jedno ze zdjęć. Przestraszona, skoczyła na równe nogi i podeszła do leżącej na ziemi fotografii. Wujek Lojzik — pierwszy mąż ciotki — patrzył na nią groźnie, władczo obejmując swoją piękną Nusię.

Agata powiesiła zdjęcie z powrotem na ścianie, zastanawiając się, jakim cudem mogło spaść, skoro gwoździk tkwił w ścianie tak mocno, jakby został wbity dosłownie przed chwilą.

Wzruszyła ramionami i wróciła do składania koszul. Jedna spodobała się jej szczególnie. Biała, długa do kostek. Była chyba z jakiejś delikatnej bawełny, a ramiona i dekolt obszyte zostały grubą koronką. Cudo! Agata wstała z klęczek i przyłożyła ją do siebie, przeglądając się w powieszonym na tyle szafy lustrze. Byłoby jej do twarzy w takiej szmatce, zwłaszcza z tym okręconym wokół głowy warkoczem.

Muszę sobie uszyć coś podobnego, pomyślała. W sklepach na pewno takiego cacka nie znajdę.

Nagle zamarła. Z sypialni dobiegło ją ziewnięcie, a sprężyny sofy zatrzeszczały. Potem usłyszała bardzo wyraźny odgłos jakiegoś szurania czy czochrania. Przestraszona jak jeszcze nigdy, położyła rękę na brzuchu, niezdolna ruszyć się z miejsca. Hałas już się nie powtórzył. Agata postała jeszcze chwilę, a potem ostrożnie wystawiła głowę zza zasłony i wybiegła z sypialni, zatrzaskując za sobą drzwi.

Przebiegła przez łazienkę, zerwała szlafrok z haczyka i zatrzymała się dopiero w salonie. Tu było już normalnie. Bez tego lepkiego zaduchu i dziwnej martwoty. Zegar tykał spokojnie, a trzeszczenie podłogi nie budziło w niej żadnych lęków. Agata poprzestała na dość ogólnym sformułowaniu, że w sypialni coś jest nie tak, i że najlepiej byłoby się jak najszybciej ewakuować z mieszkania ciotki.

Zapakowała koty do transportera i już miała zamknąć za sobą drzwi, gdy przypomniała sobie, że nie wzięła kuferka z kosmetykami. Zatrzymała się niezdecydowana, obracając klucze w dłoni. Życzenia ciotki spełniła zaledwie w jednej trzeciej; szlafrok ściskała co prawda w garści, ale przez ramię przewieszoną miała białą koszulę, a nie tę w niebieskie kwiatki. No i ten cholerny kuferek! Stał sobie dalej spokojnie na parapecie w sypialni. Agacie zrobiło się nieprzyjemnie na myśl o ponownym wejściu do tego pokoju i jeszcze bardziej nieprzyjemnie, gdy pomyślała, co powie ciotka na jej przywidzenia i brak kosmetyków. Może faktycznie jej się przywidziało? Albo po prostu pękła jakaś sprężyna w sofie?

Z wielką niechęcią i jeszcze większym strachem otworzyła jednak drzwi do sypialni. Popchnęła je dłonią, uważnie omiatając spojrzeniem cały pokój. Cicho, spokojnie i tak samo martwo jak przedtem. Agata wsunęła głowę do środka. Brązowy kuferek stał na parapecie niemal na wyciągnięcie ręki. Trzeba było tylko przechylić się przez tę zieloną sofę, która wyglądała jak porośnięty trawą nagrobek.

Taaa. W końcu tyle wspomnień rozłożyło się między tymi sprężynami — pomyślała złośliwie, dała nura po kosmetyki i z ulgą zamknęła za sobą drzwi. Wsunęła kuferek, koszulę i szlafrok do torby, wystawiła za drzwi kontener z kotami. Był ciężki. Chyba nie powinna już tyle dźwigać.

***

— Muszę ci się do czegoś przyznać — powiedziała Agata, gdy ciotka, po randce z kuferkiem, zaczynała przypominać już siebie.

— No, no? — Muśnięciami kredki Nina uwydatniła jeszcze pieprzyk na policzku.

— Zrobiłam u ciebie bałagan. Wybebeszyłam szufladę i nie zdążyłam poukładać koszul z powrotem.

Ciotkę przestało nagle interesować lusterko.

— Spieszyłaś się? — zapytała.

— Nie.

— To co się stało?

Agata pokręciła się na krzesełku.

— Nie wiem. Chyba mi się coś przywidziało.

Twarz ciotki spoważniała i był to dla Agaty tak nowy, dziwny widok, że omal nie parsknęła śmiechem.

— Co się stało w sypialni? — zapytała Nina siostrzenicę. — Opowiedz dokładnie.

Zrelacjonowała więc szczegółowo, co jej się przytrafiło. Z perspektywy jasnego dnia i pełnej ludzi sali, wczorajsze wydarzenia wydawały się już Agacie mało straszne. Tylko czekała, aż krewna rugnie ją za tchórzostwo i wybujałą wyobraźnię.

— Nie powinnam była cię tam posyłać — stwierdziła jednak ciotka całkiem poważnie. — Nie w twoim stanie.

— Słucham?!

— Agatko, myślisz, że nie wiem, że jesteś w ciąży? Przypuszczałam już wtedy, w sierpniu, kiedy mnie odwiedziłaś. Nie zaprzeczaj — ucięła, widząc, że siostrzenica zamachała rękami. — Za chwilę urośnie ci brzuch. I co powiesz? Że przytyłaś?

Nie odpowiedziała.

— Z dzieckiem wszystko okej?

— Chyba tak — mruknęła Agata. — Pojutrze mam wizytę.

— Chodzisz do Matejczak?

— Nie. Do Dziada. Znaczy: do Knapińskiego. Matejczak ma łapy jak goryl. Kiedy raz mnie zbadała, miałam wrażenie, że poprzestawiała mi anatomię.

Ciotka zachichotała.

— No, delikatna to ona nie jest. Nawet kury szkoda by jej było dać do macania... Zaraz. A czyje to jest właściwie dziecko? — Ocknęła się nagle i zorientowała, o czym tak właściwie jest mowa.

Agata zamilkła. Czuła się już i tak wystarczająco głupio z powodu sposobu, w jaki zaszła w ciążę, żeby jeszcze każdemu tłumaczyć to z detalami. Stała się nagle bardzo zmęczona i zniechęcona. Tak bardzo, że nie była w stanie dłużej rozmawiać z ciotką. Ani o ciąży, ani o niebieskim samolocie. Nie dzisiaj.

— Przepraszam. Porozmawiamy o tym innym razem. — Wstała z krzesła i wyszła.

Po raz pierwszy ostatnie słowo nie należało do Niny. Ale akurat w tym momencie nie czuła z tego powodu żadnej satysfakcji.

***

Kiedy otworzyli ten sklep? — zastanowiła się, patrząc na fioletowy napis: „Wszystko dla Twojego dziecka". Jeszcze niedawno była tu przecież pizzeria „Brando" — przywoływała w myślach widok nieciekawej, rdzawobrązowej witryny i wąskich drzwi.

Weszła do środka, jakby sterował nią niewidzialny magnes. Najwyraźniej zadziałała magia napisu; duże litery w nazwie zapewniły Agatę, jak ważne jest jej dziecko. Jej własne dziecko. No, skoro mają tu wszystko... W sumie dużo za wcześnie na gromadzenie wyprawki, ale pooglądać zawsze można.

Wnętrze przypominało labirynt — tak gęsto zastawione było wieszakami, stojakami i półkami. Agata zignorowała rozlokowany zaraz przy wejściu dział z zabawkami (kolejny chwyt Feng Shui albo — jeśli ktoś woli — psychologiczny, a jeszcze trafniej: skuteczna pułapka na objuczonych dziećmi i zakupami rodziców) i poszła w stronę dziecięcych ubranek. Czego tu nie było! Niewtajemniczona jeszcze w branżowe nazewnictwo, ze zdziwieniem oglądała pajace, bodziaki i czapeczki. Różniło się to wszystko od zapamiętanych przez nią kaftaników, śpioszków i becików, w których nosiła swoje lalki. Będzie musiała poczytać o współczesnym niezbędniku dla niemowlaka. I chyba poszukać tańszych ubranek, bo ceny tych tutaj przekraczały jej możliwości finansowe. Na przykład to coś, co wyglądało jak cienki kombinezon, kosztowało od czterdziestu złotych za sztukę!

Z żalem przebierała dłonią wśród ślicznych, kolorowych koszulek, oglądała welurowe czapeczki, kierując się powoli do wyjścia. Rzeczywiście mogłaby tu kupić wszystko dla swojego dziecka. Mogłaby... gdyby tylko miała pieniądze. Po raz pierwszy przeraziła ją myśl o samotnym wychowywaniu dziecka. Może i będzie umiała dać mu miłość, ale przecież reszta też jest ważna.

Po lewej stronie zauważyła niewielki wieszak z napisem PROMOCJA. Wisiały na nim najróżniejsze ubranka w pojedynczych rozmiarach. Agacie od razu rzuciła się w oczy cieniutka, biała bluzeczka, zapinana z boku na zatrzaski. Sprawdziła cenę — piętnaście złotych. Na tyle mogła sobie pozwolić, a poza tym ręce same wyciągały się po akurat tę koszulkę.

Świat pojaśniał o mały ciuszek, schowany w torebce. Dzisiejsze spotkanie z ciotką przestało irytować, a KatJa nie straszyła już na Kasztanowej, zaklejona fotką przystojnego budowlańca w samych tylko ogrodniczkach.

I jeszcze piknęła komórka: *Smutno, bo milczysz. I zimno tak... Odezwij się, proszę. M.*

Był ktoś, dla kogo była ważna. Może tylko w seksualny sposób, ale jednak. Czy naprawdę szła już jesień? Agacie zrobiło się jakoś tak wiosennie. Uśmiechnęła się do siebie, zaczęła pisać SMS-a, ale po chwili zmieniła zdanie. Wyłączyła komórkę i wrzuciła ją do torebki.

1:0 dla ciebie, synu.

Kupiłam ci dziś pierwsze ubranko — białą koszulkę, którą położyłam na półce w garderobie. Muszę powoli robić dla ciebie miejsce w moim życiu i domu.

Wiesz, cały dzień krążyłam wokół półki, która wzbogaciła się o tę jedną, małą rzecz. Chyba jeszcze nigdy nie cieszyłam się tak żadnym kupionym dla siebie ubraniem.

I teraz słuchaj, bo przyznam się tylko tobie.

W końcu usiadłam w garderobie przed tą półką. Wyjęłam koszulkę i nagle zdałam sobie sprawę, że ty naprawdę będziesz. Że na razie jesteś abstrakcją, ale gdzieś tam wewnątrz mnie dorastasz powoli do tego ubranka.

Włożyłam palce do rękawków i popłakałam się. Po raz pierwszy — myśląc o tobie — ze szczęścia.

***

Zaległa lekcja o kocie. Obiecałam, pamiętasz?

To, co teraz przytula się do mojego brzucha, a więc do ciebie, to właśnie kot. Nasza Tofi. Tofi jest mięciutka, przytulaśna i mruczaśna. Czekaj, przyłożę jej pyszczek do twojego uszka.

Słyszysz?

— Rozmawiasz z kotem?

Agata aż podskoczyła na głos Kuby. Skąd on się tu wziął? I kiedy wszedł? Ile słyszał z jej rozmowy z...?

Kuba był mistrzem kamuflażu. Bardzo często nie potrafiła rozgryźć, co tak naprawdę myśli. Teraz wyglądał, jakby nad czymś się zastanawiał. Przestraszona, nie odpowiedziała, całą uwagę koncentrując na kocie.

— Przepraszam, że tak bez zapowiedzi. Przejeżdżałem akurat przez miasteczko...

— Są telefony. — Agata dalej głaskała Tofi.

— Są, ale czasem się rozładowują. Mogę usiąść?

— Proszę. — Wskazała ręką ławkę naprzeciwko siebie i podciągnęła koc pod brodę. — Chcesz herbaty?

Chyba przegięła z uprzejmością, bo spojrzał na nią dziwnie.

— Jeszcze miesiąc temu prędzej wyrzuciłabyś mnie za drzwi, niż zaproponowała herbatę.

Wzruszyła ramionami.

— Będziemy rozmawiać o mojej uprzejmości, czy masz jakąś istotniejszą sprawę?

— Nie chcę się kłócić — zastrzegł Kuba i szybko wyjął z teczki jakieś kartki. — To są dokumenty wozu. Spakowałaś przez przypadek do kartonu.

— Dzięki — mruknęła, kładąc papiery obok siebie.

— A jak się czuje ciotka?

— Jeszcze jest w szpitalu. Nie wiadomo, kiedy wyjdzie.

— Gdybyś czegoś potrzebowała ...

— Kuba, do cholery! — przerwała mu. — Rozwodzimy się! Jakiej ja mogę od ciebie oczekiwać pomocy?! KatJi ją zaproponuj!

Zerwał się z ławki, zaczerwieniony i wściekły.

— Nie możemy, prawda? Nie możemy rozstać się normalnie, po ludzku...

— W *przyjaźni*, tak? — podsunęła ironicznie.

— Tak! Właśnie tak! W końcu nie jesteśmy małolatami, żeby...

— O, tak — uśmiechnęła się promiennie. — Dałeś doskonały dowód swojej dorosłości, wyprowadzając się do dziewczyny poznanej w sieci. Zaiste, no!

— A ty zmyłaś się nie wiadomo dokąd, zostawiając starej ciotce pięć kotów na głowie. Dojrzała egoistka się znalazła! — krzyknął. — Taka niby jesteś mądra! Czytasz te bzdety o Feng Shui, zachwycasz się taoizmem, a tak naprawdę nic nie rozumiesz! Nie chcesz rozumieć, nie chcesz wiedzieć! Wciąż jesteś taka sama, roszczeniowa, niestabilna emoonalnie! Przez chwilę wydawało mi się, że się zmieniłaś, że wydoroślałaś... — urwał.

— Dlaczego krzyczysz? — zapytała. — I po co mi to wszystko mówisz? Już nie musisz ze mną żyć. Nie łączy nas nic oprócz papierka, jak to kiedyś powiedziałeś. A za chwilę nie będzie nas już łączyć *nic*! Słyszysz?! Absolutnie nic! — podniosła głos i uświadomiwszy sobie, co powiedziała, rozpłakała się.

Nie chciała płakać. Nie teraz i nie przy Kubie. Próbowała się opanować, ale łzy same płynęły po policzkach, moczyły włosy i ubranie.

Zaraz zacznie krzyczeć — pomyślała, wycierając rękawem twarz. Chusteczek przy sobie — jak zwykle — nie miała.

Kuba stał obok, przekładając teczkę z ręki do ręki. W końcu usiadł przy Agacie.

— Agata... — Dotknął jej ramienia. — Agata. Nie płacz. Ja wiem... Dla mnie to też trudne. Przebacz mi, że tak wszystko pogmatwałem. Głupi byłem... — Wyjął z kieszeni paczkę chusteczek i podał je żonie. — Proszę. Nie płacz już. — Wstał z ławki. — Zrobię ci herbaty — powiedział i wszedł do domu.

Agata powoli wypłakiwała nerwy i stres związany z kolejnym spotkaniem z Kubą. Wycierała oczy i twarz, zastanawiając się nad tym, co od niego usłyszała. No tak, zostawił ją, przekreślił ich wspólne lata i jeszcze prosi o wybaczenie. Skrzywdzony przez wredną żonę chłopczyk. A ona oczywiście powinna go rozgrzeszyć i pobłogosławić po przyjacielsku na nową drogę życia.

Trzasnęły drzwi, więc odwróciła głowę. Kuba szedł powoli przez taras, niosąc w ręku kubek. Podał go Agacie i znów usiadł naprzeciwko niej.

— Agata. Ja naprawdę martwię się o ciebie.

Podniosła dłoń do góry.

— Nie zaczynaj. Rozwiedziemy się i każde zacznie nowe życie. Ja naprawdę nie chcę mieć z tobą żadnych kontaktów. Chcę zapomnieć. Chcę, żeby było łatwiej. Zresztą, nie wierzę w przyjaźń między byłymi małżonkami — dodała.

— A dom, praca?

— Poradzę sobie — ucięła.

Przez chwilę siedzieli w milczeniu, wpatrując się w zarysy Tatr na horyzoncie. Tofi usadowiła się na kolanach Kuby i nosem dotykała jego dłoni.

— Brakuje mi tych widoków i czasu, który wspólnie tu spędzaliśmy — powiedział nagle, a Agatę zastanowił smutek w jego głosie i twarzy. Coś obcego dawnemu Kubie, a jednak tak bardzo prawdziwego.

Mimo to nie odezwała się. Akurat pora teraz na niewczesną lirykę i wspomnienia. I kolejną kłótnię, oczywiście.

— No nic. Będę się zbierał. — Kuba wypuścił Tofi z rąk. — Agata... Ja naprawdę... — urwał, widząc jej zacięty wyraz twarzy. — Przepraszam — powiedział jeszcze i skierował się w stronę furtki.

Gdy zamykał za sobą bramkę, nagle coś sobie przypomniał i zawrócił.

***

— Tak powiedział? — Idealnie wyregulowane brwi Moniki uniosły się w zdziwieniu. — Że brakuje mu widoków i spędzanego z tobą czasu?

Agata kiwnęła głową.

— W ogóle był jakiś inny. Kiedy się rozpłakałam, nie wydzierał się jak zawsze. Podał mi paczkę chusteczek i zrobił herbatę.

— Ciekawe — mruknęła przyjaciółka. — Może go ta miss bielizny pogoniła?

— Nie wiem. — Agata wzruszyła ramionami. — I do wczoraj myślałam, że guzik mnie to obchodzi. Ale Kuba ma jakiś wyjątkowy dar do rozpieprzania mojego życia w chwili, gdy wydaje się ono znośnie poukładane. Zrobić ci jeszcze herbaty?

— Uhm. Tylko wejdźmy do środka, bo robi się zimno.

— Okej. Weź kubki. — Agata zbierała z huśtawki koce i poduszki. — Rzeczywiście robi się zimno.

Nadchodzącą jesień było już czuć — i widać. Lipy powoli pstrzyły trawę złocistymi punkcikami. Zieleń przygasła, poszarzała, resztką koloru trzymała się uparcie lata. Agacie ścierpła skóra. Wkrótce trzeba będzie oporządzić ogród na zimę. Przyciąć krzewy, dziczki na drzewach, zgrabić liście...

— No, idziesz? — Monika szturchnęła ją w bok. — O czym myślisz?

— O ogrodzie — mruknęła. — Do tej pory Kuba się nim zajmował. Nie wiem, jak sobie sama poradzę. Sama i w dodatku w ciąży, a za chwilę z dzieckiem na plecach.

— Chcesz zatrzymać ten dom? — Monika w zdumieniu kręciła głową. — Myślałam, że tam na wyjeździe coś przemyślisz... Kobieto, zlituj się! Nie masz pracy, za chwilę będziesz miała dziecko — wyliczała. — Gdzie tu mowa o utrzymaniu domu?

— Niełatwo byłoby mi pozbyć się tego miejsca. — Agata odwróciła się i ciepłym spojrzeniem ogarnęła posesję. — Kocham ten dom, nawet mimo tego, że tutaj rozleciało się moje małżeństwo.

— Kocham, kocham... Agata! Teraz nie pora na sentymenty!

— Chodź już do środka. — Łokciem otworzyła drzwi. — Skoro nie wiem, co zrobić, to na razie nie zrobię nic. Jasne?

— Ooo, słyszę Agatę z wyjazdu. Z którą z was się przyjaźnię?

— Ja też cię nie poznaję — odcięła się Monice. — Jesteś bardziej...empatyczna? Mniej zainteresowana własnym nosem?

Wybuchnęły śmiechem. Wszelkiej maści docinki stanowiły spory procent ich relacji. Celowała w nich zwłaszcza Agata, wiedząc jednak, na ile może sobie pozwolić. Monika była flegmatyczna. Trudno ją było obrazić, bo zanim dotarł do niej sens przytyku, Agata wymiatała go w niepamięć gadulstwem, zmieniając temat z dziesięć razy. Monika natomiast doskonale potrafiła doprowadzić przyjaciółkę do białej gorączki.

Agata pamiętała dzień, w którym umówiły się na spotkanie w Krakowie. Monika już tam była, a ona miała dojechać. W planie było niewymagające kino, piwo w ulubionej knajpce i rozkoszne paplanie o niczym. Zadowolona, była już w połowie drogi, gdy dostała SMS-a od Moniki. Treść zapamiętała sobie na zawsze: *Okazało się, że Adrian jest w Krakowie. No to my się chyba nie spotkamy.* Agata zagotowała się. Lekceważenie innych przez Monikę i ustawianie wszystkiego pod czubek piegowatego nosa doprowadzało ją do szewskiej pasji.

Wściekła, wsiadła w autobus powrotny, pisząc obraźliwą odpowiedź. Kontakty zostały zerwane na parę lat, zamienione na istotniejsze wtedy układy damsko-męskie.

— To zrobisz mi jeszcze tej herbaty? — Monika usadowiła się na ławie.

— Jasne. Zastanawiałam się właśnie nad naszą przyjaźnią. Nadajemy na zupełnie innych falach, różnimy się tak, że bardziej nie można, a popatrz... Już tyle lat. Nie licząc oczywiście ciszy w eterze — zachichotała.

— Też mnie to dziwi, ale staram się zbytnio nad tym nie zastanawiać. — Monika oglądała doskonale wypielęgnowane dłonie.

— W dodatku, pomimo tych różnic — zastanawiała się dalej Agata, przygotowując herbatę — obie jesteśmy teraz w ciąży, choć jeszcze niedawno zarzekałyśmy się, że bachorów w życiu mieć nie będziemy. W życiu! Z tym, że ja — Agata posmutniała — swojej ciąży nie zaplanowałam...

— No z tą twoją ciążą to jaja rzeczywiście. — Przyjaciółka rozkręcała teraz frędzelki przy serwecie.

Agata pokiwała głową, stawiając dymiące kubki na stole.

— Jak to możliwe, że tak późno się zorientowałaś?

— Po tym ostatnim razie dostałam okres. Właściwie to było plamienie. Ale byłam pewna, że wszystko jest okej, że to przez ten cały stres tak się porobiło. A potem, kiedy nie dostałam małpy w lipcu, to już wiesz...

— Z ciążą w porządku?

— Tak. Dziwnie się to wszystko zaczęło, ale teraz Dziad nie ma zastrzeżeń. Jutro idę na USG, a pojutrze na wizytę, odebrać TORCH.

— Czekaj. To kiedy masz termin? — Monikę zainteresowała najważniejsza kwestia.

— Na początek marca. A ty?

— W styczniu.

— Późno mi powiedziałaś.

— Nie chciałam zapeszać. Różnie mogło być.

— Zostaw w końcu te frędzle! Rozplotłaś warkoczyki już na połowie serwetki! — Agata kręciła głową na natręctwo Moniki.

— Eee, no wiesz, że muszę coś robić z rękami.

Agata z westchnieniem podsunęła jej cukierniczkę.

— Proszę. Wymieszaj cukier. Tylko żeby mi było dokładnie! — zastrzegła ze śmiechem. — A jak się w ogóle czujesz? No, hmm, psychicznie? — Monika zajęła się cukierniczką.

— Radzę sobie. — Jej przyjaciółka mocniej zacisnęła dłonie na kubku. Smutek w oczach przeczył słowom. — Nie chciałam mieć dziecka z mężem, to teraz za karę będę je miała sama. Dałabym wszystko, żeby cofnąć czas, żeby to dziecko urodziło się w pełnej, szczęśliwej rodzinie. Nawet nie wiesz, jak bardzo ci zazdroszczę, że Adrian jest koło ciebie, koło twojego brzucha! — Bolesne wyznanie wyrwało się jej spod samego serca.

Monika spojrzała jej w oczy.

— Fizycznie jest.

Na moment zapadła cisza.

— Możesz coś więcej...?

— Też myślałam, że będzie inaczej. Adrian... Mam wrażenie, że odkąd zaszłam w ciążę, odsunął się ode mnie. Mało rozmawiamy, prawie się nie kochamy. I wydaje mi się...

— Że?

— Że on się boi brzucha. Kiedy proszę, żeby go dotknął, robi to z przymusem, szybko zabiera rękę.

Agata spojrzała na Monikę z zastanowieniem. Przyjaciółka rzadko kiedy pozwalała sobie na takie otwarte rozmowy o problemach małżeńskich.

— Chyba po prostu mamy dla siebie za mało czasu. — Monika najwyraźniej zrozumiała jej spojrzenie. — Właściwie to Adriana ciągle nie ma. Podobno mają teraz jakąś ważną premierę.

Jak to jest — pomyślała Agata, gdy Monika próbowała oswajać swoje lęki — że bagatelizuje się własne przeczucia, nie chce się dostrzegać sytuacji takimi, jakie one są w rzeczywistości? Przecież problemy, które potem z nich wyrastają, o wiele trudniej pokonać, a często jest to już po prostu niemożliwe. Tak jak u mnie. Przecież wiedziałam, czułam, że coś nie do końca jest tak, jak powinno. Jednak łatwiej było udawać, że wszystko gra i nie robić nic. A był czas, był czas...

— Słuchasz mnie? — Monika przywołała ją do spraw bieżących.

— No... To znaczy nie — poprawiła się. A o co pytałaś?

— O wyprawkę. Zaczęłaś już gromadzić?

— Nie za bardzo. A ty?

— Coś ty! Przecież wiesz, że jestem przesądna. Spisałam tylko wszystko na liście. Adrian kupi, jak będę w szpitalu.

— No tak. Ty masz ten komfort — westchnęła Agata. — Ja muszę to wszystko sama jakoś zorganizować. A podeślij mi tę listę, mróweczko. Chociaż jedną sprawę będę miała z głowy. O, ale à propos wyprawki — przypomniała sobie nagle. — Byłaś w tym nowym sklepie „Wszystko dla Twojego dziecka"? Wdepnęłam tam wczoraj i wiesz co? Nie spodziewałam się, że te wszystkie dziecięce sprawy są takie drogie!

— No — Monika kiwnęła głową. — Dlatego ja po porodzie zamykam ten biznes. Jedno dziecko to wydatek, a dwójka...

— To ja w mojej sytuacji chyba przerzucę się na lumpeksy — powiedziała Agata.

Przyjaciółka się otrząsnęła.

— Coś ty! W życiu bym tam nic nie kupiła! Fuj! Wiadomo, kto to nosił? Ty... — zrobiła nagle ubawioną minę. — A co to za arcydzieło wisi na lodówce?

— A to... To jest *clou* wizyty Kuby.

— Znaczy co? Namalował dla ciebie obrazek? — zachichotała Monika.

— Durna jesteś! — Agata popukała się w czoło. — To rysunek mojej chrześniaczki.

— A co to ma wspólnego z Kubą?

— No ma — westchnęła. — Po tej całej odwiedzinowej aferze, zawrócił jeszcze spod bramy, żeby przekazać mi rysunek od Kamilki.

— Coś mi tu nie pasuje. — Monika przerzuciła się na kręcenie rożków przy papierowych serwetkach. — Przychodzi, żeby przynieść dokumenty i rysunek siostrzenicy? Jeszcze niedawno miałby w nosie takie drobiazgi.

Agata odwróciła głowę w kierunku okna i zamyśliła się. Monika miała rację, coś tu nie grało. Tylko co? Sam z siebie się do niej pofatygował i był taki, taki... prawie że pokojowy? Zażegnywał kłótnię, zrobił jej herbaty?

— Przecież to jasne — uśmiechnęła się drwiąco po chwili. — Niedługo rozwód, więc woli nie podskakiwać na wypadek ewentualnych alimentów dla mnie i orzeczenia o jego winie.

— Faktycznie — Monika pokiwała głową. — Faceci są jednak prości do przejrzenia, nie?

— Taaa. I jeszcze ckliwie mnie podpytywał, czy rozwód nie wpłynie na moje kontakty z Kamilką. Bo on, oczywiście, bardzo by tego nie chciał.

— Oczywiście. I co mu powiedziałaś?

— Że *oczywiście* nie wpłynie. — Agata przedrzeźniała samą siebie. — Że Kamilka nie będzie płaciła za nasze problemy, bla, bla, bla.

— Zeruje sobie konto — podsumowała Monika. — Chce, żebyś mu przebaczyła, widywała się z jego siostrzenicą. Ideał byłego męża po prostu.

Agata pokiwała głową i odczepiła rysunek z drzwi lodówki.

— Popatrz — podsunęła go przyjaciółce. — Masz potwierdzenie swoich słów.

Monika pochyliła głowę.

— Czekaj. Nie mogę rozkminić. — Zmarszczyła brwi. — Kto to jest?

— No przecież ja i Kuba, oślico!

— Malarstwa kreskowego nie czaję — broniła się Monika. — Skąd mam wiedzieć, że ty to ty?

— Ciąża ci się na mózg chyba rzuciła. — Agata pokiwała głową z politowaniem. — Warkocz mam, nie widzisz?

— Faktycznie — zreflektowała się przyjaciółka. — No, warkocz jest. Do samej ziemi!. Ty... — Przyjrzała się uważniej. — A co Kuba ma wokół głowy?

— Nie wiem. Ale wygląda jak aureola, prawda?

— Widzisz? Głupia jesteś, że się na nim nie poznałaś. A ta mała to nie wie, że się rozstaliście?

— Nie mam pojęcia. A czemu pytasz?

— A bo tak mi się wydaje, że na tym rysunku to Kuba chyba cię za rękę trzyma.

— Raczej na smyczy — prychnęła Agata, przypatrując się wiszącym pomiędzy ich dłońmi sznurkom. — Cholera zresztą wie. Paulina — jej matka — twierdzi, że Kamilka jest dzieckiem nowej generacji. Jakimś kryształowym, czy coś takiego.

— Eee, opowiadasz!

— W każdym razie te dzieci widzą byty pozaziemskie, są niesamowicie inteligentne i tak dalej. A Kamilka to w sumie jest trochę dziwna. Niewiele mówi, a jak spojrzy na ciebie, to tak, jakby faktycznie nie była stąd.

— Dzieci to mają wyobraźnię, nie? — Monika położyła rysunek na stole i wróciła do maltretowania serwetki.

***

Stolik obok łóżka ciotki prezentował się imponująco. Takiej góry owoców i wyboru soków Agata nie widziała już dawno.

Powinnam odżywiać się zdrowiej — skarciła samą siebie i, w ramach pokuty, podebrała z miski mandarynkę.

Ciotki nie było, sąsiadki nie wiedziały, gdzie poszła ani kiedy wróci. Agata postanowiła jednak zaczekać. Pewnie już i tak się jej oberwie za ostatnie odwiedziny, więc im prędzej, tym lepiej.

Łóżko ciotki stało przy samym oknie, więc okręciła się na stołku, oparła o parapet i zapatrzyła przed siebie. Wiatr pędził chmury po niebie w oszałamiającym tempie. Fiolety rozmywały się w szarościach, ale gdzieniegdzie lato przypominało jeszcze o sobie skrawkiem błękitu. Drzewa gięły się pod dyktando wiatru, pozwalając obrywać sobie liście, ludzie kulili się w osłonach kołnierzy i kapturów.

Agata uwielbiała taką pogodę. Oczywiście pod warunkiem, że mogła siedzieć w domu, okręcona kocem, rozgrzana imbirową herbatą i obłożona książkami.

— O! Jest moja siostrzenica!

Agata odwróciła się w stronę sali. Ciotka, otulona eleganckim szlafrokiem, wspierała się na ramieniu tego profesora... Jak on się nazywał?

— Dziękuje za przemiły spacer... Jureczku. — Nina znakomicie udała, że imię mężczyzny przechodzi jej przez gardło z najwyższą trudnością i zażenowaniem.

Agata zagryzła wargi, starając się uspokoić pod groźnym wzrokiem krewnej.

— Wyłączna przyjemność po mojej stronie, Ninusiu. — Profesor, przyuczony już, że Janina bywa tylko Niną, rozpromienił się na dźwięk swego imienia. Zapewne ciotka z rozmysłem odwlekała poddanie kolejnej bazy, żeby efekt był bardziej spektakularny. — Odwiedzę cię jutro. — Delikatnie pocałował jej dłoń i wyszedł, uśmiechając się jeszcze do Agaty.

— Czyżby jednak czwarty ziemogryz do kolekcji? — Agata wybuchnęła szalonym śmiechem.

Ciotka spojrzała na nią ze zgrozą.

— Odpukaj tego ziemogryza! O, tu. Ten stołek jest drewniany. A w ogóle, co to za żarty ze starszej osoby? — pacyfikowała siostrzenicę.

— Ja, ciociu, podziwiam tylko twój niezaprzeczalny talent... hmm...łowiecki?

— Którego tobie ciągle brakuje. W dodatku znów nie masz makijażu. — Nina wsiadła na ulubionego konika.

— I dlatego Jureczek patrzył tylko na ciebie...

— Słowo daję, wyrabiasz się. — Ciotka była ubawiona. — Jeszcze tylko palnik, obcęgi, trochę farby i nie raziłabyś w moim towarzystwie. No dobrze. Żarty żartami. — Usadowiła się na łóżku. — Ale ja chciałabym się w końcu dowiedzieć prawdy o problemach mojej siostrzenicy. Jako twoja jedyna krewna, oczekuję pełnej szczerości.

Pomimo pewnej szorstkości w słowach, w jej oczach i twarzy było tyle serdeczności, uwagi i chęci pomocy, że Agata się rozpłakała.

— Przepraszam — wybąkała, ocierając łzy podanymi przez ciotkę chusteczkami. Płacz mam ostatnio na końcu nosa.

Nina mocno przytuliła siostrzenicę.

— Kto by nie miał w takiej sytuacji — westchnęła. — Ale jesteś silna. Poradzisz sobie bardzo dobrze. — Głaskała Agatę po włosach. — Poradzimy sobie, bo ja ci pomogę. A teraz opowiadaj, bo jeszcze i ja zacznę płakać.

Chyba po raz pierwszy rozmawiały ze sobą całkiem szczerze. Ciotka słuchała uważnie, nie wtrącając się i nie krytykując. Z troską wypisaną na twarzy, wyglądała... wyglądała jak dobra babcia, której można powiedzieć o wszystkim.

Więc Agata powiedziała. Bez owijania w bawełnę uświadomiła krewną co do swojej sytuacji uczuciowej, psycho-fizycznej i materialnej.

— Nie popieram twojej decyzji, żeby nie informować Kuby — odezwała się ciotka, gdy tylko Agata skończyła mówić. — Powinien wiedzieć, że zostanie ojcem, i że z tego tytułu wynikają dla niego obowiązki. Będą ci potrzebne pieniądze, Agatko. A być może i wsparcie w wychowaniu dziecka — przekonywała.

Dziewczyna potrząsnęła głową.

— Muszę dać sobie radę sama. Nie ja pierwsza i na pewno nie ostatnia.

— Uważam, że niepotrzebnie unosisz się ambicją. To, co się stało między wami, to jedno. A to, że będziecie mieli dziecko, to drugie.

— Nie, nie. Dla mnie to się łączy w całość.

— Agatko, świat jest mały — ciotka próbowała dotrzeć do niej w inny sposób. — Prędzej czy później Kuba dowie się o dziecku.

— To wtedy będę się martwić. Zrozum, ciociu. On się ze mną rozwodzi, chce zacząć nowe życie. A ja...ja chciałabym o nim zapomnieć jak najszybciej.

Starsza pani skapitulowała.

— Jak chcesz. Uszanuję twoją decyzję, nie będę się wtrącać. Wiem, że sobie poradzisz. Że sobie poradzimy — uśmiechnęła się ciepło do siostrzenicy.

Agata odwzajemniła uśmiech. Tego jej było trzeba. Mądrego wsparcia, pozbawionego gróźb i pouczeń. Jeśli miała się uczyć, to tylko na własnych błędach.

***

Nie mogła się zdecydować.

Już dwa razy zawracała i ponownie przechodziła koło tego sklepu. Udawała, że na kogoś czeka, spoglądała na zegarek, ze znudzoną miną przypatrując się wystawom. A rdzawa tunika w oknie sklepu „Wyjątkowy Ciuszek dla Ciebie" kusiła. Kusiła też wydrukowana na kartce informacja, że dzisiejsza cena za kilogram odzieży to jedynie trzydzieści złotych.

Wchodzę — zdecydowała w końcu i pchnęła drzwi sklepu.

Pomieszczenie było maleńkie. Miało może z pięć na sześć metrów. Pomiędzy ciasno powieszonymi na wieszakach ubraniami poruszały się ręce kilku kobiet. Ciemnowłosa dziewczyna grzebała w koszu z torebkami, a jeszcze inna, w zaawansowanej ciąży, zatrzymała się przy zbitej z desek skrzyni wypełnionej rzeczami dla dzieci. Kobieta z zapałem przeglądała ciuszki i co chwilę odkładała wybrane sztuki do koszyka. Uśmiechała się przy tym tak radośnie, jakby wybierała dla swojego dziecka wśród najlepszych ubranek.

Agata podeszła do wieszaka z bluzkami, przy którym nie stał nikt. Zaczęła je przeglądać. Ciuchy, chociaż różne, były w jakiś sposób do siebie podobne. Nie rzucały się w oczy tak jak nowa odzież.

— Panią widzę tu pierwszy raz. — Niemal podskoczyła, gdy ekspedientka niepostrzeżenie podeszła do niej. — Proszę zajrzeć jutro. W czwartki zawsze mamy dostawę. A dziś to już wszystko przebrane.

— Dziękuję. — Agata z uśmiechem kiwnęła głową i podeszła do skrzyni z dziecięcymi ubrankami. Ciężarna dziewczyna stała już przy kasie, dalej uśmiechając się tak, jakby do jej torby wędrowały największe rarytasy.

Agata zanurzyła dłonie w stercie sukieneczek, bodziaków i pajacyków. Wczoraj odbyła teoretyczny, internetowy kurs nazewnictwa, rozmiarów ciuszków, wszelkiej maści napek, zamków i guziczków. Teraz wiedzę wystarczyło powoli wcielać w czyn, co jednak okazało się nie takie proste. Czuła jakąś niechęć do wymiętych, choć czystych ubranek, dotykanych już przez dziesiątki dłoni. A przeszłość ciuszków? Jakie dzieci je nosiły? Czy były szczęśliwe, kochane? I jakie były matki, które prały i prasowały te bodziaki, pajace? Agata jak ognia bała się historii cudzych ubiorów czy przedmiotów.

Bezmyślnie grzebała w stercie ubrań i nie potrafiła, nie chciała z nich wybrać niczego dla swojego dziecka. Zniechęcona, wyszła ze sklepu, pocierając dłonie o siebie. Przykleił się do nich kurz, pot i zapach cudzych palców.

Zakupy w drogim sklepie nie były dla niej. Ale te w ciucholandzie — jeszcze bardziej nie.

***

W poczekalni przed gabinetem USG siedziały dwie pary. Agata przywitała się i zajęła jedyną wolną kanapę. Od razu wyciągnęła z torebki książkę i zanurzyła się w lekturze, chcąc uniknąć przymusu poczekalnianej rozmowy. Nie cierpiała być wypytywana o prywatne sprawy i nie cierpiała zastanawiać się nad przyczynami cudzych dolegliwości i utyskiwać na lekarzy. Książka najczęściej okazywała się doskonałym straszakiem na innych pacjentów. Gazety lub czasopisma bywały już ryzykowne; chwytliwy tytuł artykułu często wzbudzał zainteresowanie sąsiada.

Dzisiaj środki ostrożności okazały się nieuzasadnione. Nikt nie zamierzał jej zaczepiać. Jedna z par zainteresowana była tylko sobą i fikołkami, jakie w brzuchu matki wyprawiał brzdąc.

— Ja chcę chłopca!

— Zobaczysz, że będzie dziewczyna! — Mężczyzna czule pocałował partnerkę w czubek nosa. — I to śliczna jak mamusia.

Druga para także dystansowała się od świata, ale jeszcze bardziej od siebie. Siedzieli ramię w ramię, ale tak odlegli, niezainteresowani sobą, że przykro było na to patrzeć.

Samotność we dwoje jest zawsze trudniejsza od tej w pojedynkę — pomyślała Agata.

Wyobraziła sobie siebie i Kubę na miejscu tej niecierpiącej się pary. Wyglądaliby dokładnie tak samo. Dwoje obcych sobie ludzi, na zawsze podzielonych i związanych przez dziecko. Żałujących, nieszczęśliwych...

Jakie to szczęście, że Kuba nie ma pojęcia o dziecku. Że nie jest ze mną ze względu na nie — prawie uśmiechnęła się do swoich myśli. — Świat jest popieprzony, skoro wikła ludzi w tak paskudne układy.

Po paru minutach drzwi gabinetu otworzyły się i miła, jasnowłosa lekarka zaprosiła do środka roześmianą parę. Agata ponownie wsadziła nos w książkę. Widok tragedii trzech osób był dla niej bardzo przykry.

Kiedy cię zobaczyłam pierwszy raz na dzisiejszym badaniu, wybuchnęłam śmiechem. Pani doktor zresztą też.

— Czy ja dobrze widzę? — upewniłam się, wskazując biały kształcik.

— Tak. Naprawdę stoi na głowie.

A potem to mój świat stanął na głowie, skurczył się do tego małego monitora, na którym obejrzałam czterdziestominutowy film o tobie.

Skomplikowane urządzenie wydobyło cię na chwilę z mojego brzucha. Poddało pomiarom, badaniom, analizom. Pomierzyło, zważyło. Obfotografowało.

— Proszę bardzo. Oto pani dziecko.

Czy można w drugą stronę? Ustawiam się en face, *uśmiecham jak najserdeczniej. Może jakaś projekcja wewnątrzmaciczna, wymiana fotografii między zakochanymi?*

Jeszcze się nie da.

Odbijam Ci wiec pięciopalczasty autograf na brzuchu.

To ja, mama.

***

— No... tu wszystko wygląda pięknie. — Lekarz przejrzał opis i zdjęcia USG. — A rzęsy to po mamusi. Kiedy rodzimy? — Wyjął z szuflady kołowy kalkulator ciąży. — Data ostatniej miesiączki?

— Dwudziestego piątego maja.

— Aha, no tak. — Zerknął w kartę. — Cykle co trzydzieści dwa dni, czyli termin na czwartego marca. No, to przydałaby się dziewczynka — uśmiechnął się. — Dobrze, zobaczmy, co tu mamy w badaniach. Krew w normie — mruknął, patrząc na kartkę z wynikami. — A jak się pani czuje? Wymioty, osłabienie?

— Nie, nic z tych rzeczy.

— Znaczy się, że dzidziuś pani nie męczy. Grzeczny maluch. No, a te psychiczne sprawy? — Zdjął okulary i oparł się o fotel.

— Dalej nie mogę powiedzieć, żebym była w euforii — Agata staranie dobierała słowa. — Na razie to raczej stan radosnego zdumienia od ostatniego badania USG.

— Pani Agato! Tak trzymać! — ucieszył się Knapiński. — A miłość do dziecka przyjdzie. Jeszcze jak przyjdzie! I jeszcze jak pani przyzna mi rację. To co? — Wstał z krzesła. — Dołożymy jeszcze cegiełkę do radosnego zdumienia i posłuchamy serduszka?

Za chwilę leżała już na kozetce z odsłoniętym brzuchem. Lekarz przykładał detektor tętna do jej skóry.

— No i gdzie ten książę się chowa? — mruczał. — Nic nie słychać.

— Dlaczego...

— Czekaj, dziecko, czekaj. — Przerwał jej machnięciem ręki i dalej próbował się dosłuchać bicia serca. — Baterie! — Klepnął się po chwili w czoło. — Pani Celino! Mamy baterie? — zapytał położną.

— Powinny być.

— Stary idiota jestem. — Krzątał się zaaferowany. — Niepotrzebnie nastraszyłem ciężarną. O, już w porządeczku. — Ponownie przyłożył urządzenie do brzucha Agaty. — I tu też w porządeczku. Teraz go mamy.

Zwielokrotniona siła bicia serduszka weszła Agacie w ciało i nerwy. Zawilgotniła oczy.

— Wie pani? — Lekarz pomagał jej wstać. — Praktykuję już ze czterdzieści lat. Słyszałem tysiące pierwszych krzyków dzieci, słyszałem bicie ich serca jeszcze tam, w brzuchu matki. Ale za każdym razem to dla mnie prawdziwy cud. Nieporównywalny z niczym innym.

Agata patrzyła na jego rozpromienioną twarz i wiedziała, że mówi prawdę. Badanie USG i słuchanie serduszka dziecka to dwie najbardziej niesamowite, najpiękniejsze rzeczy, jakie jej się przydarzyły. Świadomości, że w niej rozwija się człowiek, że biją obok siebie dwa serca, nie można było nazwać inaczej, jak tylko cudem.

— Proszę jeszcze na chwilę usiąść ze mną. Wypiszę receptę. — Knapiński wrócił do biurka. —

Witaminy brać dalej, żelazo też. I do zobaczenia za miesiąc.

— Panie doktorze, a ten TORCH?

— TORCH? — zdumiał się. — To płatne badanie, więc nie przysyłają nam wyników do przychodni.

— Poprosiłam o to. Miałam w planie dłuższy wyjazd i nie chciałam, żeby wyniki gdzieś się zawieruszyły.

— Rozumiem. Pani Celino! — Wychylił głowę w stronę otwartych drzwi. — Proszę poszukać wyników badań TORCH pani Leśniak.

— Dobrze, doktorze. — W pokoju obok trzasnęła zbyt gwałtownie otwarta szuflada — Agata...? Już niosę.

Dziś powiem ci parę słów o życiu.

Pozwól mi na chwilę skupienia. Muszę zebrać myśli. Od wczoraj mogę tylko kląć i płakać na zmianę.

Więc z tym życiem to jest tak. Kiedy wydaje ci się, że wszystko masz poukładane, z najmniej spodziewanej strony przychodzi cios. Twój świat zaczyna się chwiać. Kruszą się fundamenty, odpada tynk i wreszcie, cegła po cegle, walą się ściany, dach... Jeśli jesteś silny, szybko na tych rumowiskach zbudujesz nową jakość. Z podłogi zrobisz dach, ściany okażą się zbędne. Rozumiesz? Nic nigdy już nie może być takie same.

Po jakimś czasie znów wejdziesz w ramy bezpiecznej, małej stabilizacji. Ostrożnie, jak ślimak, wysuniesz czułki, będziesz mógł oddychać i nawet się uśmiechać. I kiedy poczujesz, że poukładałeś swoje życie co do cegiełki, wepchnąłeś je na bezpieczne tory, znów przyjdzie cios. Z zupełnie innej niż wtedy strony.

W życiu nie ma stałości. Nic, co wypracowaliśmy, nie jest nam dane na zawsze. Ależ paradoks, prawda?

Okej, mam dobre porównanie. Jako wyprawkę podaruję ci wykres życia. Dobrze go sobie zapamiętaj, pogódź się z nim od razu, bo, choćbyś nie wiem jak się starał, nigdy go nie zmienisz.

Patrz uważnie. Na uniwersyteckiej tablicy brzucha rysuję ci szlaczek. To sinusoida. Punkty na najwyższych miejscach, o tu, to maksima. Te, położone najniżej, nazywane są minimami. Kiedy twoje życie osiąga maksimum, traci impet, toczy się w dół, jeśli w ogóle nie spada od razu na łeb i szyję. Z upadku musisz czerpać siłę, by znów wspinać się w kierunku nowego maksimum. Życie nie jest statyczne, podlega ciągłym zmianom.

I jeszcze jedno. Nie wartościujemy minimum i maksimum. Nic nigdy nie jest ani dobre, ani złe w stu procentach. Już ci o tym mówiłam, pamiętasz?

Paradoksalnie, te „złe" rzeczy okazują się istotniejsze od tych „dobrych". Trudno to zrozumieć i absolutnie się z tym nie zgadzam w tej chwili, ale tak jest. To w trudnych momentach dowiadujesz się prawdy o sobie, o tym, co w życiu ważne, a co mniej. Stajesz się, dotykasz istoty rzeczy i zjawisk, zyskujesz mądrość. Dyplom z życia, którego nie zdobędziesz na żadnej uczelni.

Ja na razie z tego, o czym dowiedziałam się wczoraj, nie potrafię, nie chcę wysnuć żadnej mądrości.

Tak czy tak, te ponad trzy miesiące temu, podarowałam ci sinusoidę życia. Pojawiła się w moim minimum, cieniutka niteczka. Jeszcze przez chwilę linie będą ze sobą współgrały. Potem przetną się albo rozejdą.

Wiesz, nad czym zastanawiam się od wczoraj? Staram się zrozumieć, dlaczego ludzie pragną mieć dzieci. Nie mogą przecież zagwarantować im zdrowia, miłości, szczęścia. Tylko tę cholerną sinusoidę...

***

Agata odsunęła od siebie laptopa i objęła rękoma głowę. Od wizyty u Knapińskiego prawie nie wyłączała komputera. Szukała w Internecie nadziei, otuchy, że może nie będzie aż tak źle. Wyszukiwarki były kopalnią wiedzy, która akurat w tym przypadku okazała się trudna, przytłaczająca.

Bez końca analizowała w myślach wizytę u ginekologa, próbowała z jego słów oraz gestów wydobyć dla siebie i dziecka jakieś pozytywy.

— Tylko niech mi pani nie czyta żadnych głupot w Internecie. Bardzo o to proszę. — Patrzył na nią poważnie.

Akurat by go posłuchała. Zafrasowana mina lekarza, pomimo nadrabiania lekkim tonem, zastanowiła ją.

— Czyli choruję na tę cytomegalię? — zapytała.

— A kto pani powiedział, że ma cytomegalię?! — Knapińskiego łatwo było wyprowadzić z równowagi. — Dziecko, umiesz czytać? Wyraźnie jest napisane: „wynik niejednoznaczny".

Agacie zaczęła trząść się broda.

— A co to znaczy?

— Że są dwie możliwości. Albo choroba się kończy, albo zaczyna.

— Ale co to za choroba? — drążyła. — Czy może mieć jakieś konsekwencje dla mojego dziecka?

Knapiński potarł dłonią czoło.

— Nie mogę pani powiedzieć, że to nic poważnego. Cytomegalia może spowodować wady rozwojowe, poronienie, a nawet śmierć. To tak w dużym skrócie. Ale, ale... No, pani Agato. — Wziął ją za ręce. — Proszę nie płakać. Jestem przekonany, że pani jest zdrowa.

— Skąd ta pewność? — Czepiała się słów jak tonący brzytwy.

— Jest pani nauczycielką z kilkuletnim stażem. A szkoły i przedszkola to wylęgarnia cytomegalii. Dlatego nie sądzę, aby zaraziła się pani niedawno. Powiem więcej, dam sobie głowę uciąć, że już jest po cytomegalii.

Agata wycierała nos.

— No to dlaczego wynik jest niejednoznaczny?

— Ponieważ ta choroba bardzo długo schodzi, że tak się wyrażę. Pacjent dawno jest już zdrowy, a test na przeciwciała w klasie IgG jest dodatni.

— To co teraz?

— Teraz proszę iść do domu, zaparzyć sobie melisy i więcej nie denerwować dzidziusia. A po dwóch miesiącach powtórzymy badanie.

— Mam czekać aż dwa miesiące z tą niepewnością? — przeraziła się Agata.

— Czekać, tak. — Lekarz pogładził ją po dłoni. — Ale nie z niepewnością. Proszę spojrzeć na USG. To badanie genetyczne, bardzo dokładne. I z niego wynika, że to najzdrowszy przyszły obywatel świata — uśmiechnął się.

Łatwo było powiedzieć! Nie martwić się przez

dwa miesiące! Nie martwić się w takiej sytuacji choćby przez minutę!

Agata leżała na łóżku przy zapalonej lampce. Było cicho, nie licząc miękkich plaśnięć kocich łapek o podłogę. Tofi kręciła się niespokojnie, zaglądała co chwilę do sypialni. W końcu podeszła do łóżka i, stanąwszy na tylnych łapach, dotknęła nosem mokrego policzka swojej pani.

— Daję radę, Tofi. — Agata pogłaskała puszystą główkę. — Idź do Felka.

Kocica miauknęła cicho i opuściła się na podłogę. Z powrotem wyszła do kuchni i wróciła za parę minut.

Niechby był — pomyślała, zażenowana swoimi odczuciami. Niechby tylko był. Obok, ale był. Może szorstko pocieszył. Ale był.

Samotność w takiej chwili była dla niej nie do zniesienia. Czuła, jak płacz znowu zbiera się jej w duszy. Trąciła komputer, wycierając nos. W dole ekranu zamigała koperta.

Monika

No? Czego się nie odzywasz? Miałaś to USG? 18:09:56

Agata

Tak 18:10:12

Monika

I? 18:10:17

Palce Agaty zawisły nad klawiaturą. Co napisać Monice? Nie miała siły opowiadać o swoich lękach i o tym, co przeczytała w Internecie.

Monika

Jesteś? Co się dzieje? 18:15:23

Agata

Mogę mieć cytomegalię. Ale nie chcę o tym mówić. 18:17:01

Teraz to po stronie Moniki zapanowała cisza.

Agata

Byłam tak szczęśliwa po USG. A teraz już boję się cieszyć... 18:20:03

Monika

A co USG? 18:21:00

Agata

Wszystko w porządku. 18:21:56

Monika

To będzie dobrze, stara! 18:22:34

Agata

Monika? 18:22:56

Monika

No? 18:23:12

Agata	
A kiedy ty naprawdę ucieszyłaś się, że będziesz matką?	18:24:47
Monika	
Eee, ja od początku wiedziałam, że będzie fajnie :). A jak te sprawy u Ciebie?	18:26:34
Agata	
Nigdy nie myślałam, że można aż tak się o kogoś bać…	18:27:27
Monika	
:) :)	18:28:00
Agata	
A co u Ciebie? Wszystko w porządku? Czy młode jest już bardzo szalone?	18:30:02
Monika	
Daj spokój :) A tu jeszcze ponad trzy miesiące!	18:31:34
Agata	
A z Adrianem jak?	18:32:38
Monika	
OK. Chyba hormony ciążowe tak mi dają w tyłek. Głupieję i szukam dziury w całym.	18:35:18
Agata	
:) No to dobrze, że OK. Mykam do kąpieli z młodym. Pa!	18:36:23
Monika	
Pa :)	18:37:00

Agata zamknęła laptopa i odsunęła go od siebie. Powoli, powoli docierało do niej coś bardzo ważnego. Uchwyciła swoje odbicie w lustrze. Było takie inne. Po twarzy rozlewała się błogość, oczy błyszczały jak nigdy wcześniej.

Już wiedziała. Delikatnie obrała lekko wystający brzuch z łupinek ubrania. Pogładziła. Jeszcze nigdy odczucie miłości nie było tak pełne, intensywne.

Jeszcze nigdy nic nie było taką miłością.

***

Jesień przyniosła uspokojenie. I miłość, która usunęła w cień wszystko inne. Kuba nie był już w żaden sposób ważny. Problemy finansowe, odkąd przestała o nich myśleć, stały się nieistotne. Fakt, oszczędności kurczyły się powoli, ale była przekonana, że zanim sięgnie dna, wszystko jakoś się ułoży, praca i pieniądze dosłownie spadną z nieba. Skoro wszechświat wpakował ją w tarapaty, to niech teraz o nią zadba. Przeczytane gdzieś zdanie, że im bardziej walczy się ze swoimi demonami, tym one są silniejsze, mocno wpłynęło na Agatę. Uspokoiła się, przestała walczyć, zaakceptowała obecny stan rzeczy i szybko odniosła wrażenie, że jej życie wskoczyło wreszcie na spokojne tory. Z pewnością była to dłuższa cisza przed burzą, ale jednak lubiła ten stan.

Przestała zmagać się ze światem, a świat z nią. O Boże, jak dobrze było nie myśleć, nie martwić się, a po prostu być! Zwłaszcza, że jesień tak pięknie otulała świat. Agata codziennie chodziła do lasu, zachwycona pięknem przemijania. Niebo wciąż jeszcze miewało ostry odcień błękitu i było doskonałym tłem dla dzikiego wina i złocistych koron lip i brzóz. Zieleń sosen kontrastowo zaprzeczała przemijaniu. Agata przytulała się do ich pni, zamykała oczy. Myśli spowalniały bieg, a bezbolesna kroplówka sączyła w ciało siłę, witalność i przekonanie, że musi być dobrze.

Problem cytomegalii istniał gdzieś daleko poza TERAZ Agaty. Zepchnęła go na skraj świadomości, upakowała między inne lęki i obawy, które nie miały już do niej tak częstego dostępu jak kiedyś. Absolutnym centrum stało się teraz dziecko, wokół którego powoli budowała swój nowy świat.

Właściwie nie tylko swój, ale także dziecka. Wszystko, co teraz robiła, robiła z myślą o nim. Po tym, jak oswoiła malucha w swoim brzuchu, zaczęła myśleć, jak przytulnie zainstalować go w domu. W końcu jeszcze tylko pięć miesięcy miał spędzić w wynajętej kawalerce, potem należało mu się na początek własne łóżeczko, później regał na zabawki i może pokój.

Białą koszulką rozpoczęła proces inwestowania w dziecko, który miał się ciągnąć przynajmniej osiemnaście lat i oscylować w kwocie około dwustu pięćdziesięciu tysięcy, jeśli wierzyć mediom. A skoro tak, trzeba było zmienić politykę pieniężną. Pomógł jej w tym przypadek pod postacią ślicznego, welurowego pajacyka.

Parę dni temu, po raz kolejny zniechęcona sklepową drożyzną, zajrzała do ciucholandu. Z nieszczęśliwą miną przeglądała ubrania, usiłując coś wybrać. Znowu wszystko wydawało jej się nijakie, znoszone i wypłowiałe. W tych sklepach po prostu trzeba umieć kupować i przede wszystkim mieć dużo cierpliwości do grzebania w stosie ubrań. Ona jej nie miała. Nie potrafiła stać przy koszu przez dobre pół godziny i, sztuka po sztuce, przejrzeć wszystkich ciuchów. Wyszła ze sklepu, obiecując sobie więcej już do niego nie wracać.

Nie uszła nawet paru kroków, gdy ktoś złapał ją za rękę.

— To dla pani. A raczej dla małego. — Dziewczyna w ciąży, którą znów widziała dziś w sklepie, włożyła jej do ręki kolorową szmatkę. — No, proszę to wziąć — uśmiechała się miło.

— Ale dlaczego? — Zaskoczona Agata pokręciła głową. — Nie rozumiem.

Dziewczyna miała piegowatą twarz i niebieskie oczy, które uśmiechały się bardziej niż usta.

— Widziałam, jak próbowała pani coś wybrać w szmateksie. Nie trzeba się zniechęcać. Lumpeksowe początki zawsze są trudne — roześmiała się. — Ale gdy już upoluje się tę pierwszą rzecz, potem idzie dużo łatwiej. I przyjemniej. Proszę zobaczyć — oczami wskazała kolorowy welur w ręku Agaty — co można kupić za parę złotych.

Agata rozłożyła pajacyka na ręce. Jaki śliczny! W biało-niebieskie pasy, z aplikacją brązowego misia na lewej stronie. Był trochę zmięty, ale poza tym wyglądał jak nowy.

— Parę złotych? Naprawdę? — zdziwiła się i zaczęła szukać portmonetki, ale dziewczyna stanowczo pokręciła głową.

— Proszę mi nie płacić. To na dobry początek. — Znów uśmiech. — Do zobaczenia.

— Dziękuję — powiedziała z zakłopotaniem Agata. — Do widzenia.

Schowała pajacyk do torebki i ruszyła w stronę samochodu. Nigdy nie zdarzyło się jej zaczepić nikogo ot tak, po prostu. A tym bardziej coś mu dać. Ale taka już była. Zasznurowana, niespontaniczna, odgradzająca się od ludzi. Choć wcale nie zarozumiała. Może raczej nieśmiała, nieco dzika samotniczka. Nie lubiła, gdy świat pchał się jej nachalnie w ramiona. Ale po spotkaniu z tą miłą dziewczyną nie czuła jednak irytacji. Obejrzała jeszcze raz ubranko. Wcale nie wyglądało na ciucholandowe; za nic nie oddałaby takiego rarytasu obcej osobie.

Tak więc pajacyk został wyprany, porządnie odprasowany i położony obok białej koszulki. Od tego momentu półka dziecka zaczęła się powoli zapełniać. Agata najpierw gromadziła ubranka, ciężki kaliber zostawiła na później. Zresztą, co mogło być przyjemniejszego od kupowania maleńkich ciuszków?

Jak opętana znosiła do domu góry ubranek, tych na za chwilę i na później. Nie potrafiła już przejść obojętnie obok wygrzebanej w koszu bluzki dla dwulatka. Porządnej, wcale niespranej, bo z dyndającymi u boku metkami. Welurowy pajacyk obudził w niej instynkt łowcy. Zawzięcie przegrzebywała kosze, przegarniała wieszaki, ciesząc się z każdej rzeczy bardziej niż z tej nowej, kupionej za przynajmniej pięć razy tyle. Nie omijała też sklepu „Wszystko dla Twojego dziecka", gdzie czasem trafiały się promocyjne okazje.

Zmiana polityki pieniężnej pociągnęła za sobą zmianę filozofii życiowej. Po co miała wydawać pieniądze na nowe, markowe ubrania? Lepiej było mieć i ubrania, i coś jeszcze. Wyjazd, książkę, zabawkę dla dziecka i na przykład nowe zasłony do sypialni. Tych obecnych nie cierpiała. Kupione w godzinę fascynacji Feng Shui, miały odcień zgodny z kierunkiem świata, na który wychodziło okno sypialni. Zieleń nie była ulubionym kolorem Agaty. Ale skoro miała pomóc...

W podobny sposób, bez uwzględnienia osobistych preferencji, przefengszujowała cały dom, kiedy zdała sobie sprawę, że ślepe podążanie za książkowymi wskazówkami przynosi rezultaty odwrotne do pożądanych. Bezsensowne żonglowanie kolorami, ustawianie przedmiotów we „właściwych" dla nich miejscach zakłócało harmonię domu. Takie otoczenie nie mogło dobrze oddziaływać, nawet jeśli było wysprzątane, doskonale wywietrzone i ładnie pachnące. Feng Shui Agaty przewędrowało z głowy do serca. Już nie tylko wiedziała i rozumiała, ale przede wszystkim czuła.

Dlatego najpierw usunęła z domu wszystko, co ją denerwowało, co było zepsute, nieużywane lub po prostu nielubiane. Do kosza powędrowały setki zbieranych latami czasopism, do których nigdy nie zajrzała ponownie. Wszystkie nielubiane obrusy i zasłony zastały upchnięte do worka i wywiezione do kontenera z odzieżą używaną. Z ubraniami zrobiła porządek już wcześniej. Garderoba zawierała jedynie potrzebną ilość ciuchów. Nie było rzeczy znoszonych, brzydkich i nietwarzowych.

Nie pominęła też kuchni. Wyrzuciła do śmieci wyszczerbione talerze i obtłuczone kubki, a z półek zniknął nadmiar figurek i ozdóbek. Zrobiło się i milej dla oka, i czyściej, a odkurzanie uszczuplonej kolekcji nie doprowadzało już Agaty do szału.

W ten sposób, stosując zasadę *no mercy* wprowadziła harmonię do własnej przestrzeni życiowej, co niemal natychmiast zaowocowało podniesieniem jej energii osobistej. Przebywanie w domu wreszcie niosło spokój, odprężenie i radość. Zwieńczeniem porządków było odniesienie książek o Feng Shui do biblioteki. Nie były jej już potrzebne.

Potem pozbyła się jeszcze świeczników od teściowej. Wystawiła je na sprzedaż i nieźle na nich zarobiła. Mosiężne paskudztwa pasowały do jej domu jak pięść do nosa, a fakt, że podarowała je teściowa, pogłębiał tylko niechęć Agaty. Nie, żeby nie lubiła matki Kuby. Wręcz przeciwnie — mama Zuzu (jak kazała się nazywać) była naprawdę miła i żaden kawał o teściowej nie mógł mieć do niej zastosowania. W dodatku miała tylko dwie wady: okropny gust i syna. Mimo to Agata naprawdę ją lubiła, co było dość nietypowe i rzadko spotykane. Po rozstaniu z Kubą ukuła nawet teorię, że im sensowniejsza teściowa, tym mniej sensowny mąż. Chyba na przyszłość wolałaby bardziej żmijowate układy ze świekrą w zamian za spokój w przestrzeni jeden na jeden. Na razie jednak nie planowała żadnych nowych układów, a kontakty z obecną teściową też powoli zamierały, zaś wraz z nimi obawa, że mama Zuzu zauważy brak zabytkowych świeczników. A tak przysłużą się jak nic do kupna łóżeczka dla malucha.

Los świeczników podzielił też obraz odziedziczony po pradziadkach. Ponure, ciemne malowidło, które straszyło w salonie, okazało się, ku zaskoczeniu Agaty, dość cenne i znalazło nabywcę w niecałą godzinę po wystawieniu go na aukcji. Tak więc pradziadkowie mieli zasponsorować potomkowi bardzo solidny wózek. Wszechświat pomagał. Nawet zza grobu.

Ale jeszcze lepiej pomagał świat żywych. A raczej pomógł w osobie ciotki Niny. Oferta była kusząca, ale też tak zaskakująca, że Agata obiecała ją sobie dobrze przemyśleć.

***

Agata

Jesteś? 18:03:56

Agata

Kurde, nigdy Cię nie mogę złapać, jak mam coś ważnego do opowiadania. 18:25:00

No nic, to sobie przeczytasz, jak wrócisz. Normalnie nie mogę usiedzieć na miejscu, kobieto. Odebrałam dziś Kamilkę ze szkoły. Wiesz, w ramach utrzymywania kontaktu :) Umówiłam się z Pauliną, ze spędzę z małą trochę czasu i potem ją odwiozę. Kamilka jest naprawdę niesamowita!!!

Ale słuchaj. Odebrałam ją ze szkoły i poszłyśmy na ciastko z bitą śmietaną do „Maleńkiej". Zachowywała się jakby miała co najmniej dwadzieścia lat, a nie pięć. Potrafisz sobie wyobrazić dziecko, które zamiast ucieszyć się ciastkiem, zjada je w powolny, niemalże elegancki sposób? Żebyś widziała, jak odcinała małe kąski od szarlotki i wkładała je do ust, nie brudząc się przy tym wcale!

Próbowałam z nią rozmawiać, ale nie ożywiła się przy żadnym dziecięcym temacie. Normalnie stara-malutka. Uaktywniła się dopiero w domu. Kazała sobie podać ten rysunek z lodówki i kredki. Dorysowała mi aureolę, czaisz? Jeszcze większą niż Kuby. A kiedy zapytałam, dlaczego zrobiła to dopiero teraz, powiedziała: „Taka jesteś teraz inna, ciociu" i mocno przytuliła się do mnie. „To przez tego chłopczyka, prawda?"

„Jakiego chłopczyka, Kamilko?" „Tego, który jest u ciebie w brzuchu, przecież wiesz".

Mówię Ci, Monika, ja się czasem boję tego dziecka. Postanowiłam jej nie wypytywać, wzruszyłam tylko ramionami i próbowałam odwrócić jej uwagę. „A te sznurki między mną a wujkiem Kubą to co takiego?" „Przecież już ci mówiłam! Nie słuchałaś?" Obraziła się na mnie i do końca wizyty już się nie odzywała. Nie chciała się ze mną bawić, oglądać bajek ani w nic grać. Cały czas tylko kreśliła coś po tym rysunku. Wrzucam ci skan na maila. Dobre, co? Skąd ona wie, że jestem w ciąży? Przecież brzuch nie jest aż tak bardzo duży. A dziś miałam na sobie luźny sweter. Nie mogła zauważyć!

Monika

No, jestem. Daj mi chwilę. Przeczytam, co tam naskrobałaś. 18:45:22

Eee, udziwniasz, jak zwykle. Po prostu ma dziecko wyobraźnię i tyle. Pewnie by chciała, żebyście z Kubą mieli dzidziusia i tyle, hehe.

Agata

Bardzo śmieszne. Zrozum, ja się czułam nieswojo, kiedy ona mówiła o tym dziecku. Bo do cholery jestem w ciąży! A poza tym, panno racjonalistko, jeśli jakoś się domyśliła, że będzie dziecko, to dlaczego narysowała je miedzy nami? Tak jakbyśmy byli kochającą się rodziną? 18:49:02

Monika

Proroctwo, heh? Jaka chrzestna, taka chrześniaczka. A że ty jesteś popieprzona... 18:51:00

Agata

Spadaj. Ja mówię poważnie. Ona naprawdę ma jakiś szósty zmysł. A poza tym ta aureola, aura, tfu. Poczytaj sobie w necie. To jest energia, poświata, którą widać wokół postaci. Skoro niektórzy ludzie to widzą, to może Kamilka też? 18:54:12

Monika

Daj ty spokój! Ja chcę normalne dziecko. 18:55:45

Agata

Monika? 18:56:03

Monika

No? 18:56:12

Agata

A zauważyłaś coś wokół mojej głowy? 18:56:55

Monika

Chyba Ci odbiło! Ciąża Ci się na mózg rzuciła, mówię poważnie. 18:57:34

Agata

Taaa. Kogo ja pytam. Mam tylko nadzieję, że Paulina nie potraktuje słów Kamilki poważnie, bo wtedy przepadłam... 18:58:58

Monika

Jeśli w ogóle powie matce. A z tego, jak ją opisujesz, to wątpię. Ale z drugiej strony, mieszkamy w małym mieście. Teraz jeszcze 19:02:05

poukrywasz brzuch pod kurtką, ale za chwilę i tak sprawa się rypnie.

Agata

Właśnie. Muszę pomyśleć, jakie info wpompować w nasze środowisko. 19:03:33

A co robisz? Robicie?:)

Monika

E, nic. Adrian zostaje dziś w Krakowie na noc. Dopinają wszystko przed premierą. 19:04:22

Agata

To wskakuj w auto i przyjeżdżaj. Wypijemy herbatę. 19:05:00

Monika

Zapomniałaś, że nie prowadzę? 19:05:57

Agata

Uh, to ja przyjadę i będę spać w Twoim małżeńskim łóżku :) 19:07:23

Monika

Dobra! 19:08:34

Agata

Monika? 19:08:56

Monika

No, co jeszcze? 19:10:00

Agata

Naucz się prowadzić, zanim chłop cię zostawi. 19:12:36

Monika

Mój Adrian? Odpukaj, durna babo. A poza tym auto to dla mnie dalej czarna magia, przecież wiesz. 19:17:33

Agata

Odpukałam. Jadę, ty piegowaty antytalencie. 19:19:19

***

— Nad czym ty się zastanawiasz, dziewczyno? — sapała ciotka, wdrapując się na schody przy pomocy laski. — Jureczku, może będzie lepiej, jak pójdziesz przodem i podasz mi rękę? — Odwróciła się do idącego za nią mężczyzny. — Agatka nie powinna się przemęczać.

— Służę ci, Ninusiu. — Profesor wyprzedził ciotkę, postawił torbę na szczycie schodów i wrócił do damy swego serca.

Agata otworzyła tymczasem drzwi i poszła od razu do kuchni, żeby odgrzać rosół. Gotowała go dziś cały ranek, wspomagając się Googlami. Obranie ziemniaków nie wymagało już pomocy Internetu, ale skórki trzeba było upchnąć głęboko w pojemniku na odpadki. Bystre oko ciotki potrafiło wyśledzić zbyt grubą obierzynę nawet w śmietniku. Do ziemniaków Agata przewidziała kurczaka z rusztu kupionego na mieście, a całość miał uzupełnić kompot ze spiżarnianych zapasów Niny. Teraz tylko trzeba było wszystko podać na stół w sposób zadowalający nestorkę dwuosobowego rodu i *voilà*.

Nestorka tymczasem, asekurowana przez Jureczka, odbierała salon.

— Trzeba tu otworzyć okno. — Pociągnęła nosem. — I przyprowadzić Niuńkę od pani Marii.

Oba życzenia zostały natychmiast spełnione, po czym adorator — a wkrótce mąż — pożegnał się i wyszedł. Nina skupiła zatem całą uwagę na Niuńce.

— No, jest już twoja pańcia, jest. — Sączyła pocałunki w psią mordkę, a suka lizała ręce swojej pani, wydając pełne radości piski.

— Nie chciałaś, żeby narzeczony został na obiedzie? — zapytała Agata.

— Jureczek spieszył się na jakieś ważne konsylium. A poza tym, po co ma nam przeszkadzać? Możesz mi podać pantofle? — Ciotka z ulgą osunęła się na fotel, odstawiając laskę na bok. — Nie ma jak w domu. — Przymknęła oczy i niemal natychmiast je otworzyła. — A co tak ładnie pachnie?

— Ugotowałam rosół. — Agata wsunęła pantofle na stopy Niny i wstała z klęczek. — Jest też kurczak i kompot — dodała prędko, znikając w kuchni.

— Że jak?

Siostrzenica wytknęła głowę z kuchni i uśmiechnęła się tylko. Po chwili ustawiała już na stole talerze i wazę z zupą. Ciotka obserwowała jej zabiegi w milczącym zdziwieniu.

— Hmm. Pachnie naprawdę dobrze — stwierdziła zachowawczo.

— I smakuje też nieźle, jak na mój pierwszy rosół — śmiała się, nalewając krewnej solidną porcję na talerz.

Starsza pani otaksowała ją spojrzeniem.

— Taka jesteś inna, Agatko. Uśmiechasz się, nie jesteś skwaszona. Stało się coś?

— Zakochałam się. — Błyszczące oczy siostrzenicy były potwierdzeniem jej słów.

— Jak nic, rosół się zmarnuje. — Ciotka odłożyła łyżkę. — Mówisz, że się zakochałaś...? A można wiedzieć, w kim?

— Można. W moim najwłaśniejszym dziecku — odparła ta ze śmiechem.

— Nieustającą miłość mają w genach kobiety z naszego rodu — mruknęła Nina. — Jak nie facet, to psina. Jak nie pies, to dziecko. I tak w kółko. A mówiąc zupełnie poważnie, to najlepsze, co mogłaś teraz zrobić. — Ciotka nie potrafiła ukryć wzruszenia, a Agata pomyślała, że Jureczek musi być naprawdę wyjątkowy, skoro dokonał takiego cudu. — Tak się cieszę. Tak się cieszę. — Starsza pani mrugała szybko oczami, próbując uratować rzęsy od spłynięcia. — A teraz jedzmy już, jedzmy. Jestem strasznie głodna i... ciekawa.

Pierwsza łyżka rosołu niemal sparzyła Agacie podniebienie. Gorący był, pieprzny. Czuła wyraźnie, jak zupa przesuwa się przez przełyk do żołądka, rozgrzewa brzuch, który zaprotestował, oburzył się przeciw gorącu. Coś w nim skoczyło, zaszamotało się. Agata z uwagą przełknęła kolejną porcję rosołu. Znowu to samo. Dziewczyna powoli odłożyła łyżkę, zamyśliła się.

Zabrałeś mnie w podróż przez krainę szczęśliwą. Zabierasz mnie tam każdego dnia. Tylko tyle mogę ci powiedzieć. Bo chyba po raz pierwszy w życiu nie umiem nazwać tego, co czuję. Wszystkie te słowa: „cudowne", „wspaniałe", „niesamowite" są piękne... jak puste bańki. W tej chwili napełniłeś je treścią.

— Agatko?

Siostrzenica patrzyła przed siebie niewidzącym wzrokiem, jakby nagle znalazła się zupełnie gdzieś indziej.

— Agatko? — Ciotka potrząsnęła jej ramię.

— Tak? — Zamrugała oczami. — Przepraszam. Chyba pierwszy raz poczułam ruchy dziecka.

Przez chwilę obie milczały.

— Dziecko to cud — powiedziała Nina. — Nie myśl, że robię się sentymentalna na starość. Tak po prostu jest.

— Właśnie przed chwilą szukałam odpowiedniego słowa. Ty je znalazłaś. Dziecko to cud — powtórzyła Agata.

Po chwili obie wróciły do jedzenia, a po rosole, pochwalonym przez krewną, Agata podała na stół drugie danie.

— Kurczak jak zwykle pyszny. — Ciotka z zapałem ogryzała udko.

— Jak zwykle?!

— Kupiony w smażalni na dole — zdemaskowała siostrzenicę. — Poznaję po przyprawach.

Agata uniosła ręce.

— Poddaję się. Rosół wyczerpał mi całą wenę. A kompot...

— A kompot — Nina bezlitośnie podsumowywała kulinarne wysiłki Agaty — jest mój. Niemniej jednak, jestem pełna podziwu, że przygotowałaś obiad. Byłam strasznie głodna. — Otarła usta i odłożyła serwetkę na stół. — No to teraz powinnyśmy wypić kieliszek czegoś mocniejszego na trawienie. Ale przecież sama nie będę piła — zreflektowała się i poprosiła: — A zrobiłabyś herbatki? Chyba, że gdzieś się spieszysz?

— Nie, bardzo chętnie wypiję z tobą herbatę. I, skoro jesteś w domu, posprzątałabym ten bałagan w sypialni. Nie bardzo miałam ochotę wchodzić tam od ostatniego razu.

— Dobrze. — Ciotka znów obsypywała Niuńkę czułościami. — A poszukaj w kredensie galaretek w czekoladzie i wyłóż je na talerzyk.

Agata nastawiała wodę, zachodząc w głowę, co też takiego miał do zaoferowania Jureczek, że tak utemperował... Nie... Obłaskawił...? Też nie. Po prostu ciotka zrobiła się jakaś milsza w obejściu, a Agata nie usłyszała dziś ani jednej złośliwości pod swoim adresem. Ale nie należało chwalić dnia przed zachodem słońca. Tymczasem uważnie wlewała wodę do szklanki. Ciotka nie pijała herbaty inaczej niż w tak zwanym zestawie dworcowym. I nie daj Boże, żeby szklanka pływała w spodku. To było gorsze niż grzech śmiertelny.

Ostrożnie ustawiła naczynia na tacy, dołożyła galaretki i ruszyła do salonu. Nina zawróciła ją jednak ruchem dłoni.

— Nie, nie tu. Do sypialni zanieś.

— Nie ma mowy. — Agata stanęła w progu.

Ciotka westchnęła i sięgnęła po laskę, spychając Niuńkę na fotel.

— Niedługo pańcia do ciebie wróci, moje ty

wszystko — powiedziała. — Wejdę pierwsza. — To już było do Agaty. — A ty chodź za mną i, na miłość boską, nie podskakuj na każdy szmer, zanim nie postawisz tacy na stoliku.

Dziewczyna z niechęcią weszła do sypialni. Martwotę pomieszczenia pogłębiał jeszcze zaduch. Sypialni, podobnie jak reszty domu, nie wietrzono już jakiś czas. Ciotka najwyraźniej pomyślała o tym samym, bo przechyliła się przez sofę i uchyliła okno. Było cicho, jeśli nie liczyć dochodzącego zza okna odgłosu miasteczka. Starsza pani usiadła na sofie, a Agata postawiła tacę na stoliku.

— Trochę tu nabałaganiłam — powiedziała i odsłoniła do końca wiszącą między szafami zasłonę.

— Nie da się ukryć — zauważyła cierpko ciotka, omiatając wzrokiem kolorowe pobojowisko na podłodze i wybebeszone szuflady komody. — Jakby tornado przeszło przez ten schowek.

— Wiem — usprawiedliwiała się Agata. — Ale kiedy usłyszałam trzeszczenie łóżka i potem to ziewnięcie, po prostu uciekłam. Może mam wybujałą wyobraźnię, ale...

Ciotka wsypywała cukier do szklanki.

— Fakt, wyobraźnię to masz, tylko nie w tym kierunku, co potrzeba. Ale tym razem to zapewne był Lojzik, a nie wyobraźnia.

— Wujek?! — Agata wybałuszyła oczy. — Przecież on nie żyje!

Krewna westchnęła teatralnie.

— Agatko… Ten fakt stwierdziłam osobiście trzydzieści trzy lata temu. Jednak wcale nie znaczy to, że wujek na dobre wyniósł się w zaświaty.

— Nie strasz mnie. Wiesz, że boję się takich historii.

— Jak staniesz jedną nogą nad grobem, to, zapewniam cię, pozagrobówka będzie dla ciebie lepszym przyjacielem niż świat doczesny. — Ciotka upiła łyk herbaty. — A na razie mogę cię uspokoić. Lojzik tylko się sadzi, nic złego ci nie zrobi.

— Marna pociecha — mruknęła Agata, zbierając z podłogi koszule. — Co z tym? Chyba do pralki?

— A jeszcze nie wiem. Muszę chyba pomyśleć o nowej wyprawie koszulowej à propos Jureczka.

W tym momencie sofa jęknęła i zatrzeszczała. Ciotka trzepnęła w nią ręką.

— Lojzik! Cicho mi bądź! Chcesz, żeby Agatce stało się coś złego?! No przecież wiesz, osiołku — zmieniła ton na bardziej pieszczotliwy — że zawsze będę cię kochać jak nikogo. Ale ktoś musi się zatroszczyć o twoją Nusię, prawda, łobuzie?

Sofa zamilkła, a Agata wpatrywała się przerażonym wzrokiem w ciotkę.

— Za nic nie chcę tego mieszkania — wyjąkała. — Za nic.

— Nie bądź głupia, dziewczyno. — Nina najspokojniej popijała herbatę. — Usiądź koło mnie i porozmawiajmy.

— Nie chcę — broniła się Agata. — Wróćmy do salonu.

— Nie, Lojzik będzie uczestniczył w rozmowie.

Dziewczyna zaczęła podejrzewać, że ciotka wymknęła się zdrowym zmysłom spod kontroli.

— Nie patrz tak na mnie. Nie zwariowałam. Wyrzuć te koszule do kosza i siadaj. Wypijemy wreszcie tę herbatę. — Nina podała siostrzenicy kubek. — W sam raz do picia.

Agata usiadła jak najbliżej ciotki i upiła łyk herbaty. Teraz nie działo się już nic. Krewna chwilę pomilczała, a potem odwróciła się do niej i zaczęła mówić.

— To mieszkanie i tak przeznaczyłam dla ciebie, Agatko. Tylko my obie zostałyśmy z rodziny. Twojej matki nie liczę, bo kto ją tam wie, czy dzisiaj jest w Białymstoku, czy w Zakopanem. No więc komu miałabym zapisać swój dom? Nie chcę przez to powiedzieć, że umieram, Boże broń! Szczególnie teraz, gdy jestem taka szczęśliwa z... — ciotka urwała zdanie, nie chcąc drażnić sofy. — Ale do rzeczy. Skoro i tak wychodzę za... — mrugnęła okiem — nie będę tu mieszkała. Przenoszę się do...

Świat Niny widocznie kręcił się wokół Jureczka.

— Więc po co mieszkanie ma stać puste? Wynajmiesz je, pieniądze bardzo się wam przydadzą. O, albo jeszcze lepiej: wynajmij dom. Weźmiesz za niego dużo więcej pieniędzy. A sama zamieszkaj tu. Pomieścicie się z dzieckiem znakomicie.

— O, co to, to nie!

— Agatko, jesteś uparta jak osioł! Lojzik ujawnia się tylko przy dwóch okazjach. Kiedy wspominam o jakimś mężczyźnie i... — przerwała. — Ale nie jesteś w stanie sobie wyobrazić, co to się działo za czasów ostatnich ziemogryzów. — Ciotka rozchichotała się i odstawiła szklankę z herbatą na stolik. — Lojzik szalał, mówię ci! Łóżko tak skrzypiało, że chłopaki nie nadążały z oliwieniem sprężyn i zawiasów — śmiała się już na całego do swoich wspomnień.

Agata też się uśmiechała. Ciotka była jednak zdrowo szurnięta. Sama nigdy nie mieszkałaby w domu, w którym straszy.

— No a kiedy wujek jeszcze się denerwuje? — podpytywała.

Starsza pani natychmiast przestała się śmiać i przez chwilę milczała.

— Lojzik nie lubi, kiedy ktoś rusza zabawki jego dzieci — powiedziała w końcu poważnie.

— Jakich dzieci? — Agacie robiło się słabo od tych rewelacji. — Przecież nie mieliście dzieci?

— Ale mieliśmy mieć. — Ciotka popatrzyła na komodę. — Znalazłaś zabawki, tak?

Dziewczyna kiwnęła głową.

— To przynieś je, proszę. — W oczach starszej pani Agata dopatrzyła się morza smutku. Miała wrażenie, że śmiech, który przed paroma minutami wypełniał sypialnię, był nietaktem.

— Idź, Agatko — poprosiła ciotka. — I tak muszę ci to w końcu powiedzieć.

Jej siostrzenica wstała i podeszła do komody. Włożyła dłoń do dolnej szuflady i wyciągnęła z niej zabawki. Potem usiadła z powrotem na sofie i podała je Ninie.

Ciotka przez chwilę oglądała lalkę i samolocik, a łzy, które płynęły po jej twarzy, zamazywały wizerunek twardej, pewnej siebie kobiety.

— To już tyle lat, a ciągle boli. Bardziej nawet niż śmierć moich mężów.

— Tak mi przykro... Nie wiedziałam... — Agata skubała rękaw swetra ciotki. — Nigdy nie wspominałaś...

Krewna przez chwilę nie mówiła nic. Obracała w rękach lalkę, patrzyła na samolot, który leżał na jej kolanach. Ten sam, który Agata widziała na zdjęciu i w rączkach tego dziwnego chłopczyka przed jej bramką.

— Kiedy dowiedziałam się, że jestem w ciąży, Lojzik zaraz pobiegł do sklepu z zabawkami. Kupił dwie. „Bo i tak", śmiał się, „prędzej czy później będzie dwójka". W ten sam dzień zrobiliśmy sobie to zdjęcie, którego nie pozwoliłam ci obejrzeć. Byliśmy tacy szczęśliwi...

— I co się stało? — zapytała cichutko Agata.

— Byłam w trzecim miesiącu, kiedy zaczął boleć mnie brzuch. Ból był tak silny, że zrobiło mi się ciemno przed oczami. A potem było już zupełnie biało: biały sufit, ściany, pościel na łóżkach. I Lojzik, blady jak cała reszta. „To nic, serce, to nic. Jeszcze będziemy mieli dzieci", mówił i trzymał mnie za rękę. Ale już nie mieliśmy — zakończyła ciotka.

— Tak mi przykro, ciociu. — Agata była wstrząśnięta dopiero poznaną tajemnicą Niny. — Dlaczego nie wyrzuciłaś tych zabawek, nie oddałaś ich komuś?

— Nie mogłam. — Ciotka przetarła palcem zarysowanie na samolocie. — To jedyna pamiątka po moich dzieciach — powiedziała i odłożyła zabawki na stolik.

— Odnieść je do komody?

— Nie trzeba. Nie chcę ich dłużej chować. — Starsza pani była już opanowana, kończyła pić herbatę. — Ale też nie chcę więcej o tym mówić. To co? — zmieniła temat. — Decydujesz się oczywiście na moją propozycję?

— Chyba tak. — Agata kapitulowała. — Jest mi to ogromnie na rękę, zwłaszcza, że nie mam pracy.

— Wreszcie mówisz z sensem, dziewczyno. — Ciotka podniosła się z sofy. — Chodźmy do salonu. Niewygodnie tak siedzieć bez oparcia.

Agata wzięła tacę i ruszyła za krewną, która jeszcze się obejrzała.

— A te galaretki zostaw. Lojzik się zawsze uspokaja, jak są na widoku.

— Chyba nie chcesz mi powiedzieć, że...

— Ależ tak, moja droga, tak. Lojzik je uwielbiał za życia, uwielbia i teraz. Zapamiętaj sobie. Agrestowa galaretka w czekoladzie, kupowana na wagę w „Rubinie". Żadna inna.

— I co? Zjada je wujek teraz? — Agata zapytała z ironią.

— A wiesz, że jakimś cudem tak? — Nina nie

mogła sobie odmówić fantazjowania na widok przerażonej twarzy siostrzenicy. — Ile razy zostawię pełen talerzyk w sypialni, po kilku dniach jest już pusty.

Informację, że tak naprawdę podjada je sama, zostawiła dla siebie. Nie chciała odbierać Agacie wymyślonego przed chwilą specjalnie dla niej patentu na uspokojenie Lojzika.

***

Prawdę mówiąc, propozycja ciotki spadła Agacie jak z nieba. Z pieniędzmi zaczynało już być naprawdę krucho, a w dodatku zbliżała się zima. Na myśl o kosztach ogrzewania domu cierpła jej skóra. A w tej sytuacji mogła przestać się martwić. Pieniądze za wynajem mieszkania Niny wystarczą na opał i na pewno nie tylko na to.

Zauważyła, że odkąd pokochała swoje dziecko, wszystko zaczęło się układać. Nie, może nie tyle układać, ale na pewno stało się dużo prostsze. Niczego nie zostawiała już na potem. Impuls w głowie przeradzał się od razu w czyn.

Od dwóch tygodni dawała korepetycje. Pomysł takiego zarobkowania podsunęła jej Monika. Agata wymawiała się, twierdząc, że ma dosyć uczenia, co okazało się jednak nieprawdą. Miała dosyć uczenia bandy dzieciaków, a praca jeden na jeden okazała się wcale niemęcząca, przyjemna i całkiem profitowa. Pomału przypominała sobie, jaką radość niosło jej kiedyś uczenie. Starannie przygotowywała zajęcia, przeplatając nudną teorię zabawami i humorem. A na wyświetlaczu komórki coraz częściej pojawiały się nieznane numery. Ludzie chcieli się u niej uczyć. Było dobrze. Było nawet bardzo dobrze.

A miało być jeszcze lepiej. Za dwa tygodnie przypadał termin rozprawy rozwodowej. Istniały szanse, że pierwszej i ostatniej.

***

U licha, miała szczęście. Zazwyczaj w poczekalni u Knapińskiego kłębiły się dzikie tłumy kobiet. Dziś było pusto. Początek tygodnia najwyraźniej nie sprzyjał wizytom u ginekologa.

Zadowolona rozsiadła się na krześle, przykryła torbą brzuch na wypadek jakiejś zbłąkanej, chętnej na pogawędkę pacjentki. Pytań w stylu: „A co będzie?", „Kopie już?" — nie znosiła. Dziecko w brzuchu było cudem, tajemnicą i ogromem uczuć, którego nie chciała dzielić z obcymi osobami. A brzuch, nawet ten mały, prowokował do intymnych dociekań.

Cisza poczekalni nastrajała do lektury. Agata wyciągnęła z torby książkę i wsadziła w nią nos. Jednak odgłos spuszczanej w toalecie wody uświadomił ją, że niestety nie jest sama. Przyciągnęła torbę do brzucha, opuściła włosy na policzki, mając nadzieję, że wygląda bardzo niezachęcająco.

— Agata? No cześć!

Koniec. Sprawa jak nic rypnie się przed rozwodem. Niechętnie podniosła oczy.

— Witaj, Paulinko. — Zamknęła książkę. Nie było szansy na czytanie. I nie było szansy na ukrycie prawdy przed szwagierką. Chyba tylko cud mógłby tu dopomóc. — Co dobrego u was?

— Ooo, dużo, nawet bardzo dobrego! — Paulina usiadła na krześle i kręciła się podekscytowana. —

W ciąży jestem, siostra. — Wpychała jej w ręce testy. — Zrobiłam trzy, tak dla pewności. Wszystkie pozytywne. — Rozpierała ją duma płodnej samicy.

Zaskoczona Agata oglądała testy.

— Zawsze mówiłaś, że Kamilka będzie jedynaczką — uśmiechnęła się. — Co cię skłoniło do zmiany decyzji? Bo chyba nie Misiek?

— No nie. On zawsze chciał mieć furę dzieciaków, ja niespecjalnie. Tylko Kamilka od jakiegoś czasu non stop mówiła o drugim dziecku w naszej rodzinie — śmiała się Paulina, a Agacie włos zjeżył się na głowie. — To dziś jej powiemy, że wyprosiła braciszka. A poza tym — pochyliła się do szwagierki — chyba mi się zwyczajnie po babsku zatęskniło do takiego ciałka, które tylko przytulać i całować! — mówiła rozmarzonym głosem.

W milczeniu przyznała jej rację. Też już tęskniła. Ale jednocześnie ciąża stała się tak pięknym przeżyciem, że obawiała się, jak to będzie po porodzie. Jak poradzi sobie z pustką w brzuchu, ze świadomością, że dziecko i ona to już nie jedno?

— Słuchasz mnie? — Szwagierka przytupywała fioletowymi kozaczkami na sporej szpilce.

— Tak, tak. — Agata zapatrzyła się w te buty. — Chyba już niedługo będziesz je musiała zmienić na coś wygodniejszego.

— Tak — skrzywiła się Paulina. — To są minusy ciąży. Przypominasz czajnik, a stopy nie wchodzą ci w ulubione buty. Ale mów, co u ciebie.

Agata przywoływała na twarz uśmiech kobiety szczęśliwej, gdy otworzono drzwi do gabinetu Knapińskiego.

— Pani Szpilewska, zapraszam — położna uśmiechnęła się na widok testów w ręce Pauliny. — Ciąża?

— Tak!

— Jeszcze się jej nogi trzęsą po robocie, a już w ciąży. — Otwarte drzwi do sąsiedniej poczekalni przyniosły słowa jakiegoś mężczyzny. Gruchnął śmiech.

Paulina wychyliła się przez drzwi, miażdżąc wzrokiem zadowolonego z siebie mężczyznę.

— Bo jak zaraz przywalę obcasem tam, gdzie facet najbardziej nie lubi, to się tobie zatrzęsą, palancie jeden!

Pobity własną bronią mężczyzna zrobił się czerwony, a poczekalnia wybuchnęła jeszcze głośniejszym śmiechem.

— Pani Leśniak, niech mi pani da od razu kartę ciąży. Wypełnię, co mogę, będzie szybciej. — Położna wyciągnęła do Agaty rękę.

Dziewczynie zrobiło się ciemno przed oczami. Jednak się nie udało. I teraz to już naprawdę koniec.

— Zapomniało się, co? Skleroza ciążowa. — Pani Celina przybiła gwóźdź do trumny.

Zrezygnowana Agata wyciągnęła z torby kartę, a Paulina gapiła się na nią z otwartymi ustami.

Chyba po raz pierwszy w życiu nie była w stanie wydusić z siebie słowa.

— Pani Szpilewska. No już, do gabinetu! — ponagliła ja położna.

Potworny ból przygiął Agatę do ziemi. Korytarz zafalował...

***

— No, jak się, dziecko, nazywasz?

Agata wpatrywała się w Knapińskiego mało przytomnie. Co się stało? Przecież siedziała w poczekalni, a teraz jakimś cudem leżała na kozetce. Dziad uważnie się w nią wpatrywał.

— Agata — powiedziała w końcu.

— I dalej jak?

— Leśniak. Agata Leśniak.

— Dobrze, dziecko. Trzeba, żebyś teraz trochę poleżała. Zemdlałaś w poczekalni.

Agacie wróciła pamięć i ostry ból w podbrzuszu.

— Boli... — jęknęła i przyciągnęła kolana do siebie.

— Spokojnie, dziecko, spokojnie. — Kanpiński dotykał jej brzucha. — Ale zabierz ręce, nie mogę cię zbadać. — Uważnie uciskał ciało, patrząc w sufit. — Wygląda na to, że wszystko w porządku — powiedział po chwili. — Zdenerwowałaś się czymś może?

Agata kiwnęła głową. Lekarz tymczasem przykładał głowicę USG do jej brzucha.

— Widzisz? Popatrz, jak mały się denerwuje. — Pokazał na monitorze małe ciałko, które miotało się na wszystkie strony. — Nie wolno się pani tak denerwować! Nie wolno wcale! Chce pani przedwcześnie urodzić i pochować?!

Agata wystraszyła się i zaczęła płakać.

— Dziewczyno, posłuchaj. Wszystkie negatywne emocje szkodzą dziecku. Chyba chcesz dla niego jak najlepiej, prawda? Zażyj to. — Podał jej tabletkę i kubek wody. — A jak się uspokoisz, to dokończymy wizytę, dobrze?

Lekarz podjechał krzesłem do biurka i zaczął wpisywać coś do karty.

— Bezwzględny zakaz stresów, zrozumiała pani?

— Panie doktorze, ja naprawdę mam trudną sytuację...

— A co mnie obchodzi pani trudna sytuacja?! — zdenerwował się Knapiński. — Trudne sytuacje może mieć pani kiedy indziej! W ciąży będzie pani jeszcze parę miesięcy! I oby! A jeśli pani teraz zafunduje dzieciakowi stresy, to on je pani odda potem z nawiązką! — Dziad był do rany przyłóż, ale kiedy się zdenerwował...

— Mam rozwód za dwa tygodnie — próbowała się usprawiedliwić Agata.

— I tu się pani myli. W tej chwili piszę zwolnienie leżące. Rozwiedzie się pani po porodzie.

— Ale...

— Nie ma żadnego „ale". Chce pani urodzić zdrowe dziecko?

— No tak...

— Wreszcie się dogadaliśmy. — Knapiński wyjął z kieszeni kitla chusteczkę i otarł czoło. — Musiała mnie pani tak zdenerwować? Takiego staruszka jak ja powinno się już bardziej oszczędzać — zakokietował.

Agata nie odezwała się.

— Pani Agato, ja mówię bardzo poważnie. Dziecko dało bólem sygnał, że coś mu się nie podoba. Wraca pani teraz do domu i odpoczywa. Jak najwięcej leży i robi *nic*. Czy to jasne?

— Tak. — Z Knapińskim można było dojść do ładu tylko na spokojnie.

— Czy wcześniej zdarzyły się pani omdlenia, silne osłabienie?

— Nie.

— A ten ból?

— Też pierwszy raz.

— I oby ostatni. — Lekarz uzupełniał notatki. — Żelazo na razie ładne — zaglądnął w wyniki — ale proszę dalej łykać je dwa razy dziennie. Witaminy jak do tej pory. I do zobaczenia za dwa tygodnie. Aha. — Zatrzymał Agatę w otwartych drzwiach. — Proszę sobie zamówić taksówkę, dobrze?

— Ja ją odwiozę. — Paulina wetknęła głowę do gabinetu. — To moja szwagierka.

— Świetnie! — ucieszył się Knapiński. — To zapraszam panią do gabinetu. — Przepuścił Paulinkę w drzwiach. — A pani, pani Leśniak, żeby mi ani krokiem, dopóki siostra nie wyjdzie. Osobiście sprawdzę, czy pani zastosowała się do polecenia.

Co miała robić, usiadła.

A to się Paulinka zdziwiła. — Agata uśmiechnęła się, potem roześmiała już głośno, kiedy dotarł do niej komizm sytuacji. Szwagierka wyprodukowała dziecko, bo sądziła, że Kamilka myśli o rodzeństwie. Sprawa może i się skomplikowała, ale też zrobiła śmieszna.

I zaraz... Co to Knapiński powiedział? Mały?

***

Łatwo było Dziadowi mówić: nie stresować się. Agata niemal zabarykadowała się w domu i, jak przestraszone zwierzątko, oczekiwała ciosu z niespodziewanej strony. Była bowiem pewna, że taki nadejdzie. Mina Pauliny, która odwoziła ją do domu po wizycie u lekarza, wróżyła kłopoty.

Prawie nie odzywały się do siebie, a zażyłość, wcześniej niezbyt wielka, rozsypała się na dobre. Starannie omijały temat ciąży, półsłówkami starając się zachować pozory rozmowy. Dopiero przed domem, gdy Agata wysiadała, szwagierka dotknęła trudnego tematu.

— Wiesz, że muszę powiedzieć Kubie, prawda? To mój brat.

— Za dwa tygodnie mamy pierwszą rozprawę rozwodową. — Agata odważnie spojrzała jej w oczy. — Posłuchaj... — zawiesiła na chwilę głos. — Ja tego naprawdę chcę.

Paulina nie odpowiedziała. Popatrzyła tylko na nią przeciągle, poczekała aż zamknie drzwi i odjechała.

— Niech to szlag! — Agata uderzyła pięścią w bramę.

Chyba była naiwna, sądząc że jakoś to będzie. Że jakoś to będzie tu, w małym miasteczku, w grajdole, gdzie jeden drugiemu w nocnik zagląda. Powinna była spakować się, sprzedać dom i wyprowadzić na drugi koniec Polski. A teraz... Agata z lękiem zaczęła myśleć o przyszłości. Było mało prawdopodobne, że Kuba nie zechce być ojcem. Tylko idiota nie wywnioskowałby tego z jego rozmów z KatJą. Więc jeśli teraz się dowie, to może... może będzie chciał odebrać jej dziecko? Agacie znowu zrobiło się słabo. Przerażona wizją kolejnego omdlenia, oparła się o bramę i wbiła paznokieć pod paznokieć. Ból pokonał rozmazany obraz przed oczami. Zrobiła jeszcze parę głębokich wdechów i kiedy przestało jej się kręcić w głowie, poszła do domu.

Kuba objawił się już wieczorem. Najwyraźniej był po konferencji z Pauliną, bo przez ponad dziesięć minut komórka Agaty nie przestawała dzwonić. Nie odbierała, wpatrując się w migający i wibrujący aparat i ssąc końcówkę warkocza. Zupełnie nie miała pojęcia, jak rozegrać tę sprawę i bała się robić cokolwiek, wiedząc, że pośpiech bywa złym doradcą.

„Jeśli nie wiesz, co robić, nie rób nic" — przypomniała sobie jedno z ulubionych powiedzonek ciotki. Zaraz... To zabrzmiało dokładnie jak fragment książki o Feng Shui. Działaj przez niedziałanie czy jakoś tak? Agatę olśniło; dopiero teraz w pełni zrozumiała to stwierdzenie, które nie miało w sobie nic z magii. To był najczystszy, uniwersalny pod każdym względem pragmatyzm! Bezpieczna filozofia życiowa, pozwalająca małym nakładem sił miękko lądować na czterech łapach.

Wszechświat najwyraźniej miał wobec niej swoje plany i nie należało mu w tym przeszkadzać ani tym bardziej forsować własnych pomysłów, żeby nie pogorszyć sytuacji. Przecież płynięcie pod prąd, dosłownie i w przenośni, nie opłacało się!

Dlatego wzięła głęboki wdech i – bezpiecznie otulona domem jak kołem ratunkowym — czekała.

Pewnie dziwisz się, że tak mało ostatnio z tobą rozmawiam. To faktycznie dziwne. Kiedyś — zapomnij o tym jak najszybciej — w ogóle cię nie kochałam, nie chciałam. Opowiadałam ci o świecie jak obcej osobie, próbując w ten sposób zagłuszyć własne myśli i strach, oswoić sytuację, w którą oboje się wpakowaliśmy.

Teraz nie muszę już niczego oswajać. Widzę wszystko dla ciebie. I dla ciebie czuję.

***

Jesień szła coraz głębsza.

Bardzo lubiła to Reymontowskie określenie. Może trąciło archaicznością, ale było bardziej soczyste i pełne znaczenia niż na przykład „późna jesień".

Agata, ubrana w ciepły polar, spacerowała po ogrodzie. Było złoto od lip, fioletowo od michałków i wciąż zielono od trawy. Ale mimo to czuło się, że już za chwilę koloru ubędzie. Choć ziemia jeszcze była naładowana latem, powietrze niosło w sobie chłód zimy. Agata lubiła to wyczekiwanie, „barowanie się" pór roku. To określenie też się Reymontowi udało.

Na źdźbłach trawy znieruchomiała zimna rosa. Jakiś zapóźniony pająk próbował się przez nią przeprawić, ostrożnie badając każdą kroplę odnóżami. Agata z zainteresowaniem śledziła wysiłki pajęczaka, gdy nagle ktoś zawołał ją po imieniu. Spojrzała w stronę furtki i mruknęła:

— Tego mi tylko brakowało.

Włożyła ręce do kieszeni i powoli podeszła do bramy, za którą stał Michał.

— Agata! Nareszcie! Tęskniłem!

— Jak mnie znalazłeś? — spytała niechętnie na dzień dobry. — Przecież nie wiedziałeś, gdzie mieszkam. — Niezadowolona otwierała furtkę. Takich niespodzianek nie lubiła.

Zamiast odpowiedzi, Michał pocałował ją i próbował mocno przytulić. Znieruchomiała, bynajmniej nie z przyjemności. Z uczucia, które towarzyszyło jej na zakopiańskim dworcu, nie pozostało nic. Może prócz niesmaku.

— No więc? Jak mnie znalazłeś? — Powoli wysunęła się z jego ramion.

— To naprawdę nie było trudne — roześmiał się. — Pytałem o taką śliczną szatynkę z długim warkoczem.

— Pytałeś o mnie obcych ludzi?! — Agata była zszokowana.

Michał wziął to za dobrą monetę.

— Gdy kocham kobietę, zawsze znajdę do niej drogę — powiedział tak chełpliwie, że skrzywiła się z niesmakiem. — Nie odbierałaś moich telefonów, nie odpowiadałaś na SMS-y. Ale ja tak lubię — im trudniej, tym potem przyjemniej.

Oczy Agaty coraz bardziej okrągłały ze zdumienia.

— Chyba jednak zrozumiałeś mnie opacznie — spróbowała coś powiedzieć.

— Dobrze zrozumiałem, dobrze — śmiał się dalej. — Ech, te wasze kobiece sztuczki!

Obrzuciła go szybkim spojrzeniem.

Z wyglądu ciągle był intrygujący. Ale w środku: miał. Buraczany miał — pomyślała, a głośno powiedziała:

— No cóż. Skoro już przyjechałeś, to może napijemy się herbaty?

— Jeśli podasz ją do łóżka, to najchętniej. No, co jesteś taka oburzona? — Zadreptał niespokojnie pod ciężkim spojrzeniem Agaty. — Przecież oboje wiemy, że tobie też tylko seks w głowie.

— Być może tak. Ale niekoniecznie z tobą i niekoniecznie w tej chwili. — Rozsunęła polar i obciągnęła bluzę na brzuchu.

Michał przestał się wreszcie uśmiechać. Można powiedzieć, że to on był teraz zniesmaczony.

— Co ty sobie zrobiłaś?! Zmarnować takie piękne ciało!

Agata ze świstem zasunęła zamek.

— Wiesz, chyba herbata mi się skończyła. Kawy też nie mam. Soku ani wody również. I w ogóle nic — powiedziała szorstko. — Nie odwiedzaj mnie więcej. Nie pisz, nie dzwoń. — Mało uprzejmie skierowała go w stronę furtki i oniemiała po raz drugi.

Mówi się, że od nadmiaru boli głowa. Ją rozbolały zęby.

— Będę czekał. Odezwij się, kiedy urodzisz. — Michał faktycznie był wytrwały. — Ten seks jest nam pisany. — Zwycięsko zaznaczał teren, obserwując mężczyznę za bramką.

— Jasne — mruknęła. — Masz to jak w banku. Przyjadę pierwszym pociągiem. Prosto z porodówki.

— O co tu chodzi? — zapytał Kuba, patrząc to na Agatę, to na Michała. Najwyraźniej musiał słyszeć spory kawałek ich rozmowy, bo warknął jeszcze: — Agata, kto to jest?

— Ojciec dziecka — rąbnęła na oślep, zdenerwowana całą sytuacją, rejestrując niebotyczne zdumienie Michała.

— Kiedy? Jakim sposo... — zaczął Michał, ale cios, który otrzymał od jej męża nie pozwolił mu dokończyć operacji myślowej.

Agata, trochę wystraszona, uciekła do domu i zza firanki przyglądała się, jak Michał wzbija tumany kurzu na drodze.

Kurde, że też ja zawsze coś chlapnę, zanim pomyślę. — Koniec warkocza od razu powędrował do ust. — A właściwie to dobrze. Należało się i jednemu, i drugiemu — pomyślała złośliwie, obserwując bieg wydarzeń i nie kibicując ani Kubie, ani Michałowi.

Dwaj mężczyźni wzięli się teraz za ramiona i, pochyleni, patrzyli na siebie spode łba. Potem Kuba puścił Michała i nawet podał mu rękę. Agata nie rozumiała z tego nic. Ze zdziwieniem obserwowała, jak jej niedoszły przyjaciel otrzepuje ubranie i rusza w stronę miasteczka, rzucając ciężkie spojrzenie w okno Lipówki.

Jeszcze cięższym spojrzeniem obdarzył ją Kuba, stając znienacka w drzwiach. W przekrzywionej marynarce i z wypisaną na zakurzonej twarzy złością wyglądał tak zabawnie, że mimo powagi sytuacji parsknęła śmiechem.

— Po co przyszedłeś? — zapytała, kiedy już się uspokoiła. — Dla ciebie też nie mam kawy ani herbaty.

— Nie odbierasz moich telefonów, nie odpowiadasz na maile. A chyba musimy porozmawiać, prawda?

— Nie, nie musimy. Nie mamy o czym.

— Owszem, mamy. Na przykład o tym. — Wskazał na jej brzuch.

— Przepraszam, ale to nie jest twoja sprawa. — Zaplotła ręce na brzuchu, jakby jej dziecku groziło niebezpieczeństwo.

— Owszem, moja. A przez ciebie, idiotko, obiłem gębę niewinnemu facetowi.

— Nie takiemu znowu niewinnemu — mruknęła. — A poza tym, nie wiem, co ci naopowiadała Paulinka, ale pewnie to były jej pobożne życzenia.

— Tak? — zdziwił się uprzejmie. — A kto niby jest ojcem?

— Przed chwilą miałeś z nim przyjemność — uśmiechnęła się złośliwie. — Wiesz, to był taki jednorazowy seks bez zobowiązań. Hmm, no wyszło inaczej, ale to naprawdę nie jest twój problem.

— Nigdy nie umiałaś kłamać. — Ujął ją mocno pod brodę i popatrzył w oczy. — O, proszę. Wszystko jasne — powiedział, gdy odwróciła wzrok i pokiwał głową. — Jednak facet nie kłamał. A ty... ty zawsze musisz coś spieprzyć. Przyszedłem tu, żeby porozmawiać, coś postanowić i w głowie mi się nie mieści, że mogłaś spróbować czegoś tak głupiego, cholerna idiotko.

— No to porozmawialiśmy. — Stała naprzeciw niego jak zwierzę gotujące się do ataku. — A teraz już wyjdź. Aaa, byłabym zapomniała. — Podeszła do komódki i wyjęła z niej jakiś papier. — Jeśli przyszedłeś omówić linię postępowania na rozprawie, to z góry przepraszam za utrudnienia. Mam zwolnienie, lekarz kazał mi leżeć i unikać stresów, więc nie będę mogła przyjść.

— A co mnie obchodzi twoje zwolnienie?! — Wyrwał jej z ręki papier i cisnął w powietrze. — Chcę porozmawiać o naszym dziecku i coś ustalić! Rozwodzić to się możemy potem!

A wiec jednak! Chce jej odebrać małego!

— Agata... Agata... — Głos Kuby płynął do niej jakby przez mgłę, a potem rozmył się w ciemnościach.

***

Kiedy otworzyła oczy, zobaczyła, że leży na łóżku, przykryta kocem. Kuba, umyty i bez marynarki, siedział w fotelu obok. I patrzył na jej zwolnienie, które trzymał w ręce.

Co za głupia sytuacja, pomyślała. Odpłynęłam w ramionach mojego męża, który kiedyś chciał się ze mną rozwieść, a teraz już nie. W dodatku jestem z nim w ciąży. On siedzi obok i najwyraźniej mnie pilnuje. Obcy i nieobcy w moim domu. Tragifarsa. Temat na najdurniejszą poczytajkę świata.

Poruszyła się, chcąc wstać.

— Jak się czujesz? — Kuba przeniósł wzrok na nią. — Zrobić ci herbaty?

— Co ty znowu z tą herbatą?! — Najeżyła się od razu. — Najpierw mnie denerwujesz, a potem proponujesz herbatę.

— Jezu, Agata! Czy z tobą da się normalnie porozmawiać? — W jego głosie słychać było więcej rezygnacji niż poirytowania.

Podciągnęła się i usiadła, opierając plecy o ścianę.

— A nie może do ciebie dotrzeć, że ja po prostu nie chcę z tobą rozmawiać? — zapytała z westchnieniem.

Nie odpowiedział. Przez dłuższą chwilę znów patrzył w okno, uderzając palcami jednej dłoni o wnętrze drugiej. Mignęła obrączka. Agata skrzywiła się z niesmakiem.

— Na rozwód też pójdziesz w obrączce? — Nie wytrzymała.

— Nie będzie rozwodu. Zdecydowałem, że wycofuję sprawę. Przynajmniej do czasu, aż dojdziemy do porozumienia.

— Zdecydowałeś. Znowu zdecydowałeś za nas oboje. — Agata akcentowała każde słowo i czuła, jak krew napływa jej do twarzy. Przy tym głupku nie potrafiła się nie irytować. — Wyprowadziłeś się, choć tego nie chciałam. Chciałeś rozwodu, ja nie chciałam. Teraz ty nie chcesz, a ja wiele dałabym za ten papier — wyliczała. — Przestań wreszcie mieszać w moim życiu!

— Agata, ja po prostu popełniłem błąd... Nie tak powinniśmy byli rozwiązać nasz problem.

— Tak, ty popełniłeś błąd, a ja za niego ciągle płacę!

— A myślisz, że ja nie? — Kuba westchnął i przysunął fotel do łóżka. — Nie potrafię spojrzeć w lustro, żebym o tym wszystkim nie myślał.

— Co mnie to obchodzi! To twój problem.

— Wiem, że jesteś na mnie zła, że pewnie mnie nienawidzisz. Ale ja naprawdę wszystko przemyślałem. Nie przerywaj mi, proszę — powiedział, widząc, że żona już otwiera usta. — Chcę z tobą spokojnie porozmawiać. Sprawy wymknęły nam się spod kontroli, trzeba to jakoś na nowo poukładać.

— Chcesz mi odebrać dziecko, prawda?

Kuba spojrzał na nią tak, jakby widział ją pierwszy raz w życiu.

— Czy ja coś takiego powiedziałem? — zdziwił się.

— Nie, ale ciągle to sugerujesz. Musimy na nowo *poukładać* sprawy — przedrzeźniała go. — Nie tak?

— Nie, nie tak. — Spojrzał na nią bystro. — W głowie mi się nie mieści, że mogłaś o czymś takim pomyśleć! Ale zawsze miałaś dar do nadinterpretowania, więc może nie powinno mnie to dziwić?

Nie odpowiedziała. Była bardzo zaskoczona, więc mówił dalej.

— Pozwól, że wrócę do początku. — Wziął ją za rękę i przytrzymał, mimo że chciała ją wyszarpnąć. — Wiem, że bardzo namieszałem w twoim... W naszym życiu. Byłem dupkiem, egoistą. Coś nam zaszwankowało w małżeństwie, a ja poznałem dziewczynę, która chciała i umiała mnie słuchać. I to był pierwszy błąd, że sobie na to pozwoliłem. Drugi, że wyprowadziłem się z domu.

— A teraz co byś niby zrobił? — Stanowczo wyswobodziła dłoń, której Kuba już nie szukał.

— Teraz bym rozmawiał. Próbował nawet terapii. W każdym razie nie przekreślał od razu związku.

— Ciekawe, co ta KatJa ci zrobiła, że tak nagle zmądrzałeś? — zapytała z taką goryczą, że w oczach Kuby pokazały się łzy.

— Wiem, jak to brzmi... Ale tak naprawdę już kiedy się wyprowadzałem, czułem, że robię błąd. — Po raz pierwszy nie wstydził się płaczu. — Wiem, że strasznie cię skrzywdziłem... Ale może to dziecko jest szansą, żebyśmy spróbowali naprawić to, co poszło nie tak?

— Nie, Kuba. Chcesz wrócić ze względu na dziecko — powiedziała cicho. — Ja się na to nie zgadzam. Poukładałam już swoje życie na nowo i nie chcę w nim niczego zmieniać. Wracaj do KatJi. Miej z nią dzieci. Przecież tego chciałeś, prawda?

— Agata, rozmawiajmy o nas. Będę miał dziecko z tobą, nie z nią.

— Cóż za fatalne zrządzenie losu — ironizowała. — Uprzejmie cię przepraszam, że zaszłam w ciążę z tobą. I powiem to jeszcze raz: nie oczekuję od ciebie *niczego* w związku z tym.

— Nie wiem, kto z nas jest większym egoistą. — Pokręcił głową. — Chcesz na dzień dobry spieprzyć dziecku życie, myśląc tylko o sobie? Agata, zrozum, musimy odstawić na bok takie myślenie. Będziemy mieli dziecko. Słyszysz? Trzeba mu zapewnić szczęśliwe dzieciństwo. A poza tym... Chciałem wrócić już wcześniej, zanim się dowiedziałem o dziecku. Pamiętasz, jak przyszedłem tu z rysunkiem od Kamilki? Wiesz, że to był tylko pretekst. — Spojrzał jej w oczy. — Ale byłaś taka ostra, nieprzejednana... Ale teraz nie odpuszczę.

— Rozumiem, że mnie kochasz? — Twarz Agaty, wykrzywiona ironią, była teraz prawie brzydka.

— Nie. To znaczy nie wiem — odpowiedział szczerze. — Ale daj nam szansę ze względu na dziecko.

Pokręciła głową.

— To bez sensu. Jeśli chcesz, możesz być obecny w życiu dziecka. Ale ja nie mogę już z tobą być. Po tej całej sprawie? Po tym, co usłyszałam od ciebie, gdy się wyprowadzałeś? Nie kocham cię, nigdy nie będę mogła ci zaufać. A takie życie dla pozorów, na przymus, odbije się gorzej na dziecku niż życie bez ojca.

— Agata, to nie tak. Ja wtedy nagadałem ci głupot, kłamstw, po to, żeby sobie ułatwić rozstanie. Chciałem wierzyć, że nie pasowaliśmy do siebie, że cię nie kochałem.

— Szkoda, że nie pomyślałeś, jak bardzo mnie zraniłeś, jak wywróciłeś do góry nogami całe moje życie — warknęła. — Przykro mi, Kuba. Za późno.

— Aż tak mnie nienawidzisz? — zapytał cicho.

— Na pewno cię nie lubię — odpowiedziała zgodnie z prawdą. — Jesteś dla mnie zupełnie obcym człowiekiem. — Wiedziała, że sprawia mu ból, że znęca się nad nim, ale... sprawiało jej to nieprzyzwoitą przyjemność. — Wierzyć mi się nie chce, że kiedyś byłeś dla mnie całym światem.

Agata mówiła jeszcze długo. Wyrzucała z siebie całą złość, żal i ból, którego doświadczyła, gdy odszedł od niej.

Przestała dopiero wtedy, gdy Kuba wyszedł z domu.

***

Od: Kuba<kubi@gmail.com>

Temat: bez tematu

Nie wychodzą nam te rozmowy, Agata.

Tyle chciałem Ci powiedzieć – znów mi nie pozwoliłaś. A ja znów nie miałem tyle siły, żeby przyjąć Twoją słuszną złość, ból i agresję. Dopiero teraz zrozumiałem, jak bardzo musiało Cię zaboleć to, co zrobiłem. I to, że nigdy nie wolno myśleć tylko o sobie.

Agata, jeszcze raz proszę. Daj nam szansę. Jeśli nie sobie i nie mnie, to naszemu dziecku. Jeśli się nie uda, obiecuję, OBIECUJĘ, że zniknę z Waszego życia.

Agata?

Proszę...

Nie myślałam, że można aż tak czekać...

Kładę się na kozetkę. Za chwilę fale z głowicy USG skupią się w ciebie na monitorze.

Jesteś. Milcząca videokonferencja właśnie się zaczęła.

Ruchliwy z ciebie dzidziuś. Podskakujesz, obracasz się, porozumiewawczo machasz do mnie rączką. Pięć paluszków zachwyca prawidłowością.

O Boże! Tak bardzo się cieszę twoją zwyczajnością, normami, w których lekarka nie dostrzega niebezpieczeństwa cytomegalii.

Długo w nocy obracała w dłoniach zdjęcia USG, bez końca oglądała śliskie kartoniki, ciesząc się nimi jak jeszcze nigdy żadnym prezentem. A potem włączyła komputer i zdjęcia jej dziecka, opatrzone tytułem: „Tam mieszka chłopiec", pobiegły w wirtualny świat. Był tam ktoś, kto też, mimo wszystko, miał prawo się nimi cieszyć.

Nie przypuszczała, że wysłanie tego maila przyniesie jej taką ulgę i poczucie, że zrobiła coś bardzo dobrego.

***

— To kiedy się rozwodzisz? — Ciotka rozkładała na ławie mocno wykrochmalony obrusik bon ton, srebrną cukierniczkę, eleganckie filiżanki.

Agata usadowiona w fotelu, skwitowała pytanie krewnej wzruszeniem ramion. Teraz ładowała się dobrą energią, która nasączała M2 ciotki. Feng Shui było tu absolutnie doskonałe. Uwielbiała przychodzić do Niny. Przytulne mieszkanie, ozdobione według jej gustu, niosło spokój, ukojenie i pewność niezmienności. Ramki zdjęć i obrazków wrosły w ściany, a ustawienie mebli było od zawsze takie samo. Ciotka też była taka sama. Nawet w zwykłej podomce wyglądała na elegancką kobietę. Doskonale ułożona krótka fryzura, pociągnięte kredką brwi i lakier na paznokciach przypominały Agacie o własnych niedostatkach.

Niunia, w obróżce — tej do gości — spała spokojnie na kocyku. Ciotka nalewała właśnie herbaty, szczypczykami wrzucając do szklanek kostki cukru. Na talerzyku kusiły ciasteczka maślane. Jeszcze bardziej nęciła wiśniówka, ustawiona jednak bliżej Niny. Przedślubny wieczór, ekhem, panieński, zapowiadał się interesująco tylko dla jednej strony.

— No to co z tym rozwodem? — podpytała znów ciotka, nalewając sobie do kieliszka bordowego specjału.

— Na razie nic. Knapiński kazał mi leżeć. — Agata przemilczała drugi powód niedoszłej sprawy rozwodowej. — Ale wyobraź sobie — nie mogła się powstrzymać — że on ciągle nosi obrączkę.

— A to mnie akurat nie dziwi. Mężczyzna do ostatniej chwilki będzie przeciągał ostateczne rozwiązanie sprawy, żeby nie zamykać sobie żadnej drogi. Kochance powie, że żona ciężko chora i że w takiej sytuacji to on nie może jej zostawić, ale na niezobowiązujący, miły wieczór to chętnie się wyrwie. Żonie — że strasznie się pomylił, ale właśnie wszystko zrozumiał i dopiero teraz widzi, jak bardzo ją kocha i zawsze kochał.

— Skąd ty to wszystko wiesz? — zapytała Agata, zdumiona oczywistością ciotczynych poglądów.

— No skąd? — prychnęła starsza pani, delektując się zapachem nalewki. — Trzech mężów, nie najgorszy wzrok i pomyślunek. Za drzwiami domów dzieją się takie historie, że na stare lata nic człowieka już nie dziwi. — Pokręciła głową, pociągając długi łyk wiśniówki.

Przez chwilę milczały obie. Agata popijała herbatę i wpatrywała się w wiszącą na szafie czwartą suknię ślubną ciotki Niny. W wieku ponad siedemdziesięciu lat brać kolejny ślub i to w tak pięknym stroju! To mogło przytrafić się tylko komuś takiemu jak ciotka.

— A ty zdradziłaś kiedyś męża? — Agata wróciła do nurtujących ją małżeńskich tematów.

— Męża? Nie. Mężów? — W oczach krewnej zapaliły się ogniki wspomnień — Mnóstwo razy.

Siostrzenica musiała się uśmiechnąć. Ciotka

wyglądała teraz niesamowicie młodo i filuternie. Twarz prawie bez zmarszczek, błyszczące oczy, młodsze od jej własnych.

— Ale czemu? — Agata usiłowała dociec istoty zdrady. Jej wiedza, nie licząc epizodu z Michałem, była na ten temat żadna.

— Moja droga... Nawet najlepsze łóżko stygnie po paru latach. A jeśli ciało długo chętne...

— A twoi mężowie co na to?

— A cóżby? — zdziwiła się Nina. — Nie mieli o tym zielonego pojęcia. Łóżko to łóżko, a małżeństwo to małżeństwo. Te dwie rzeczy rzadko idą w parze, co zrobić. Po co poświęcać małżeństwo dla łóżka?

Ciotka znów trafiła w sedno, choć owo sedno w zasadzie nie zgadzało się z poglądami Agaty.

— Czyli u ciebie nie szło?

Nie bała się zadawać krewnej osobistych pytań, bo, po pierwsze, wiśniówka rozwiązywała jej język bardziej niż zwykle, a po drugie, była ona wytrawną ekshibicjonistką w tej kwestii.

— A nie szło, nie szło — westchnęła ciotka. — Lojzik to był niezły kozak. Nie złaził ze mnie noc i dzień. W dwa miesiące po ślubie byłam chuda jak szczapa. Ale poza tym, partner małżeński był z niego żaden. Cienki intelektualnie, towarzysko i gospodarczo. Z Frankiem z kolei nigdy się nie nudziłam.

W trakcie ciotczynej opowieści, Agata zerkała na zdjęcia wujków. Przewracała karty albumów, a nieruchome postacie ożywały, gdy ciotka szeroko demaskowała ich tajemnice. Lojzik był ponurym facetem z kwadratową szczęką, Franek — uśmiechniętym blondynem.

— Ale w te klocki był cieniutki. — Nina dalej wspominała drugiego męża. — Lubił tylko „po bożemu" i tylko w łóżku. Żadne inne figle-migle nie wchodziły w rachubę — uśmiechała się bezczelnie do wspomnień. — Przychodził do sypialni, gasił lampkę. Potem zdejmował spodenki i układał się na mnie. Prędziutko, raz dwa, raz dwa i tyle było mojej przyjemności.

— A Lutek?

— Coś mi dzisiaj ta wiśniówka za bardzo w głowę idzie. — Ciotka pokręciła głową niezadowolona, zakręciła butelkę i schowała ją do barku, żeby nie kusiła. — Głupio byłoby mieć kaca na własnym ślubie.

Ponownie usiadła w fotelu i wzięła do ręki filiżankę herbaty.

— A Lutek? Lutek to był dopiero numer. Nabił mnie w butelkę, ale i tak kochałam tego łobuza. — Pstryknęła w nos podobiznę przystojnego bruneta o nieco lalusiowatym wyglądzie. — Lutek to było panisko. Codziennie świeży kwiatuszek do kieszonki, dobre perfumki i wystawne kolacyjki, molo w Sopocie i te sprawy. Ładne to było, aż za bardzo. No i w końcu wyszło szydło z worka. Chłopów kochał, a nie baby!

— No coś ty! — Agata z łoskotem odstawiła filiżankę na spodek. — Nie zorientowałaś się przed ślubem?

— Ano, widzisz, nie. Coś mi nie do końca pasowało, ale nie wiedziałam co. Idę z nim na przykład ulicą. Mija nas fagas, do rzeczy całkiem, więc robię do niego oko. A ten łypie na mnie z niesmakiem i zawisa wzrokiem na Lutku. Wyobrażasz sobie?

Agata sobie nie wyobrażała. Uważnie studiowała twarz wujka Lutka, próbując wyczytać z niej potwierdzenie słów ciotki.

— Widzę, że ciekawi cię mój trzeci ziemogryz — uśmiechnęła się Nina. — To ci jeszcze opowiem o poczwórnej kolacyjce, bo to dopiero była historia. Z perspektywy lat to wydaje się już śmieszne. Ale, zapewniam cię, wtedy to mi zupełnie nie było do śmiechu.

— Ale na pewno chcesz o tym mówić? — Dziewczyna próbowała nie zdradzić swej ciekawości. — W sumie to twój wieczór przedślubny.

— Już i tak zamienił się w stypę po wspomnieniach — dokończyła z humorem ciotka. — Komu opowiem, jak nie tobie? Ciebie tak przyjemnie się gorszy. Zapamiętaj, moja droga, w każdym tkwi jakiś procent kosmatości. Porządny chłop to martwy chłop — pouczyła siostrzenicę. — A tak, póki żyje, czasem trzeba to i owo zaakceptować i specjalnie się nie dziwić.

— Właściwie to ja powinnam ci opowiadać pikantne szczegóły, a nie ty mnie...

— Tak też jest dobrze. A poza tym, przed tobą

jeszcze wiele takich przeżyć. I wierz mi, lepiej żałować, że się coś zrobiło, niż nie zrobić i żałować nie wiadomo czego. Inaczej na starość nie zostanie ci nawet jedno wspomnienie. I czym sobie będziesz umilać długie wieczory?

— Ciociu, robisz się obrzydliwie nudna z tymi pouczeniami. Napij się może jeszcze wiśniówki albo w końcu opowiedz o Lutku. Obiecuję — przymknęła oczy — że nie będę się gorszyć.

— Dobrze. Wskrzesimy ostatniego trupa i na tym zakończymy. Potem będziemy się już tylko cieszyć jutrzejszym dniem.

— Czy ty naprawdę nie masz tremy? — dziwiła się Agata, wspominając własny ślub i związane z nim dzikie stresy.

— Chyba żartujesz! Denerwować się czwartym ślubem? To by było niesmaczne.

Wybuchnęły śmiechem, a w sypialni jęknęło łóżko.

— Oho, usłyszał. — Ciotka z komiczną miną podniosła się z fotela. — Idę po galaretki. Zostawiam ci przynajmniej kilogram, jakby bardzo rozrabiał.

Agata obiecała sobie w myślach, że prędzej pozwoli wujkowi zagłodzić się na śmierć, niż kiedykolwiek zaniesie mu te cholerne galaretki. Nina tymczasem wyciągnęła słodycze z kredensu, położyła parę sztuk na talerzyku i zaniosła do sypialni, serwując mężowi uspokajającą tyradę. Kiedy wróciła, siostrzenica patrzyła na nią jak na szamankę.

— Nie masz tremy przed ślubem, dogadujesz się z duchami. Boisz się w ogóle czegoś?

— Tego, że nie dokończę ci historii o Lutku i zabiorę ją z sobą do grobu. A język aż mnie świerzbi, żeby w końcu komuś o tym powiedzieć. À propos grobu, mam prośbę. Czy mogłabyś pójść na cmentarz i zapalić chłopakom trzy światełka? Żeby wiedzieli, że mimo wszystko o nich pamiętam.

— Oczywiście. A gdzie się wybieracie po ślubie?

— Nie mam pojęcia. Jureczek zabiera mnie gdzieś zaraz po ceremonii. Rozumiesz? Gdzieś. I to na parę miesięcy. Nawet nie wiedziałam, jak zapakować walizkę!

— Na parę miesięcy? — zasmuciła się. — Pusto tu będzie bez ciebie. Teraz to już zostaję całkiem sama.

— No, nie taka sama. — Ciotka usiadła na poręczy fotela Agaty i uściskała ją mocno. — Wiem, jaka jest sytuacja, choć nie od ciebie. To nie jest zły chłopak. Bardzo mu kibicuję — uśmiechnęła się do siostrzenicy serdecznie. — Bardzo wam kibicuję.

***

Listopadowy dzień był ponury, mglisty i wyprany z koloru.

Agata szła na cmentarz ubrana już w kurtkę,. W ręce niosła siatkę ze zniczami i zakupionym dosłownie przed chwilą niebieskim kocykiem dla Ignasia.

Imię dla dziecka właściwie wybrało się samo — było pierwszym, jakie przyszło jej na myśl podczas badania USG, kiedy lekarka powiedziała: „tam mieszka chłopiec". Po prostu nie mogło być inaczej! O słuszności decyzji upewniła się ostatnio w poczekalni u Knapińskiego. Nie zabrała ze sobą żadnej książki, nie miała nawet gazety. Z nudów zerknęła przez ramię do książki, którą czytała młoda blondynka. I pierwszym słowem, które rzuciło się jej w oczy, było właśnie „Ignaś". Imię dla dziecka najwyraźniej zostało wybrane gdzieś na górze i trzeba było to uszanować.

Gdy powiedziała ciotce o swoim wyborze, w jej oczach pojawiły się łzy.

— Więc jednak Ignaś urodzi się w naszej rodzinie... — powiedziała tylko.

Agata domyśliła się, że niebieski samolot był przeznaczony właśnie dla Ignasia. Dla kogo miała być lalka, nie wiedziała. I nie chciała pytać.

Na cmentarzu było prawie pusto. Dziewczyna minęła może ze dwie osoby w drodze do grobu wujków.

Ciotka pochowała wszystkich mężów razem.

Ciekawe, co o tym myśli Lojzik — podszepnęło Agacie jakieś złe licho.

Parsknęła cichym śmiechem, zastanawiając się, czy i Jureczek dołączy kiedyś do towarzystwa.

Agata szła powoli lipowymi alejkami, zatrzymując się przy niektórych grobach jak przy starych znajomych.

Mała, dwuletnia Romka miałaby teraz ponad siedemdziesiąt lat. Za sobą życie udane lub może tak bolesne, że lepiej było jednak pozostać na zawsze małą dziewczynką.

Ewa, która zginęła tragicznie w wieku dwudziestu lat, była pierwszą żoną doktora Jasińskiego. Na jej nagrobku zawsze stały kwiaty, kiedyś pomieszane z pustymi butelkami. Mąż zabijał-zapijał w ten sposób pierwsze lata bez niej.

Dalej stał przerażający, maleńki nagrobek bliźniąt, urodzonych dzień po dniu i dzień po dniu zmarłych. Od zawsze zadbany, obsadzony niezapominajkami przez matkę, której bólu Agata nie umiała sobie wyobrazić. Często widywała tę niestarą jeszcze kobietę — w jej twarzy ciągle odczytywała rozpacz, niezłagodzoną przez czas.

Był i nagrobek Baśki, zwanej Szczochą. Baśka była malarką, ale przede wszystkim opiekunką bezdomnych kotów i psów. Codziennie o szesnastej wychodziła na miasto, wypraszając po sklepach stare obrzynki mięsne. Wlewała wodę do półtoralitrowych butelek i dawała zwierzętom kolejny dzień życia, powtarzając, że woli pachnieć zwierzęciem niż śmierdzieć człowiekiem. Może dlatego pamięć ludzka była niechętna. O grób Szczochy nie troszczył się nikt. Był przechylony na bok, zapadał się powoli w ziemię. Zwierzęta jednak pamiętały, czuły, jakkolwiek to nazwać. Na grobie Baśki często wylegiwały się koty, śledzące mijających ich ludzi zmrużonymi oczami.

Cmentarz miał też inną historię zwierzęcą, a właściwie owadzią. Agata nie była w stanie zapomnieć pogrzebu pana Matyska, który był pszczelarzem. Dzień był piękny i słoneczny. Pachniały lipy. Tłumów nie było, bo pszczelarz nie miał rodziny. Niewielkie grono znajomych otoczyło wykopany dół i trumnę. W pewnej chwili cichy głos księdza zaczęło zagłuszać monotonne bzyczenie. Ludzie rozglądali się z niepokojem. Pojedyncze pszczoły fruwały wokół kwiatów, siadały na trumnie. Z minuty na minutę było ich coraz więcej. Ktoś krzyknął: „Jezus Maria", a parę osób uciekło z cmentarza, wymachując rękoma. Ksiądz pospiesznie dokończył obrzęd, ceremonię dalszego pożegnania zostawiając już pszczołom.

Agata uśmiechnęła się do wspomnienia i szła dalej, wodząc wzrokiem po znanych na pamięć nagrobkach. Ileż tu było łez, pełnych dramatów historii, których nie wymyśliłby nikt prócz życia. Tutaj tego życia dotykało się najboleśniej, najprawdziwiej, bez żadnych osłonek i korygujących okularów. Wizyty na cmentarzu ustawiały Agatę do pionu bardziej niż cokolwiek innego, choć też zostawiła tu kawałek swojej historii.

— Cześć, tato. — Przystanęła przy ostatnim grobie w alejce.

Zgarnęła ręką liście z płyty, zapaliła znicz.

— Będziesz miał wnuka. Z nowości to tyle — przedstawiła ojcu raport zmian w swoim życiu, jak zawsze krótko i rzeczowo.

Dokładnie tyle czasu miał dla niej, odkąd matka odeszła. Po parominutowej wymianie zdań, znieczulał się wódką. A kiedyś znieczulił się tak skutecznie, że wylądował właśnie tutaj, na cmentarzu. O tej historii Agata też myślała krótko i rzeczowo. Z przyzwyczajenia.

W następnej alejce odwiedziła Agnieszkę, koleżankę ze studiów. Delikatna blondynka przez siedem lat znajdowała w sobie siły do walki z rakiem. Choroba punktowała ją bezlitośnie, zabierając zdrowie, energię, radość przyszłego macierzyństwa. Nie odebrała tylko talentu. Aga zostawiła po sobie tomiki wierszy, a w nich oswojoną, rozłożoną na czynniki pierwsze śmierć. Odarła ją ze strachu, nauczyła się jej za szybko. Tak jak najpierw za szybko nauczyła się dobrze żyć.

Egzaminów z życia nie zdaje się za pierwszym razem, Agnieszko — pomyślała Agata. — I to z oceną bardzo dobrą.

Śmierć koleżanki przeżyła boleśniej niż śmierć ojca. Do tej ostatniej zdążyła się przyzwyczaić — ojciec odchodził powoli za życia. Agnieszka... chciała żyć.

Agata zapaliła znicz i poszła dalej.

Wujkowie spali pod rozłożystą lipą, na której pozostało już tylko kilka liści. Reszta — mokrym złotem przykrywała nagrobek. Tym razem nie zgarniała liści. Ciotka nie lubiła widoku nagiej płyty. Wiosną i latem zastawiała ją kwiatami, jesienią i zimą pozwalała naturze zadbać o wystrój grobu.

Znicze ładnie komponowały się z liśćmi. Agata przez chwilę patrzyła na chyboczące się na wietrze płomyki, a potem przeniosła wzrok na twarze wujków. Lojzikowi i Frankowi poświęciła mało uwagi, natomiast przystojne oblicze Lutka od razu przywołało na myśl pikantne zwierzenia ciotki. Parsknęła śmiechem, skarcona wzrokiem przez mijającego grobowiec staruszka. Agata próbowała stłumić wesołość, tak obcą jej naturze i tak nielicującą z miejscem, w którym się znajdowała. Na próżno, bo im bardziej zagryzała wargi, tym głośniejszy śmiech wydobywał się z jej ust. Zachęcana w ten sposób wyobraźnia podsuwała dziewczynie przed oczy salonik ciotki i siedzące w nim dwie pary. Wino, podobno bardzo dobre, zaszumiało im w głowach po drugiej butelce. Wtedy Lutek zaproponował, żeby umilić sobie spotkanie, urozmaicić je już w sypialni. Agata szczegółowo odmalowywała w głowie szok na twarzy ciotki i tej pani Reginy oraz entuzjazm jej męża. Dla kurażu i ukręcenia łbów wszelkim skrupułom, Nina postawiła na ławie trzecią butelkę. Na tej trzeciej butelce przerwała opowieść i podjęła ją dopiero w miejscu, kiedy razem z Reginą zdały sobie sprawę, że w czwórkowych zmaganiach były one... zbędne.

Wyobraźnia Agaty pracowała pełną parą, dziewczyna nie próbowała już tłumić wesołości. Usiadła na nagrobku i wyśmiała się do woli, ignorując oburzone spojrzenia przechodzących ludzi. Trudno płakać nad czyimś grobem, mając w głowie takie historie.

— Ale z ciebie był numer, drogi wujku. — Ze śmiechu bolał ją brzuch. — Ciekawe, co by powiedział na to Lojzik.

Tu powiedziała sobie „stop". Wolała nie myśleć, co czuje jej pierwszy wujek, leżąc w jednym grobie z następcami. I to jakimi!

Powoli ruszyła w stronę wyjścia. Na dworze robiło się już ciemnawo, co w połączeniu z szarym, mglistym dniem, tworzyło mieszankę niezachęcającą.

Mr T chyba też nie był zachwycony aurą. Kiedy wyjeżdżała, naprychał się dobrze, zanim odpalił. Natomiast teraz odmówił współpracy na całej linii. Wygasił wszystkie kontrolki, a kluczyk w stacyjce przekręcał się bez charakterystycznego pyknięcia.

— Świetnie! — Agata oparła się o zagłówek fotela, przez chwilę bezmyślnie kręcąc na palcu kluczyki.

No tak. Autem fajnie się jeździło, można było umyć je od czasu do czasu i zatankować. Na tyle starczało Agacie wiedzy i umiejętności. O resztę zawsze dbał Kuba.

Wyjęła z torby komórkę i, postukawszy nią parę razy o podbródek, wybrała numer.

— Cześć, kangurzyco. Czy Adrian ma dziś wolne...? Nie? O, cholera...! Auto mi nawaliło... E, nie. Jakoś sobie poradzę. Dzięki. Cześć.

Westchnęła i wybrała numer Kuby.

Niech pokaże swoje zaangażowanie i troskę o rodzinę — pomyślała agresywnie, bardzo niezadowolona, że musi prosić go o pomoc.

— Cześć. Tu Agata. Przepraszam, że dzwonię do ciebie, ale sama sobie nie poradzę.... Nie, czuję się dobrze. Chodzi o auto, nie mogę odpalić.... Dobrze, próbuję. Nic nie świeci, nie rzęzi. Cisza.... Aha.... A co to jest? Te kable...? No, nie. Zaniosłam do garażu. Skąd mogłam wiedzieć, że mam je wozić?! Okej, okej, będę czekała.

Schowała telefon z powrotem do torebki i ze złością zabębniła palcami po kierownicy, gdy zauważyła billboard na ścianie pobliskiego sklepu.

Czekanie na Kubę miała umilić jej KatJa, w nowej, mikołajowej odsłonie.

Jak ty mnie zmieniłeś, synu. Uspokoiłeś, uprościłeś macierzyńsko. Jakbym to ja była dzieckiem, a nie na odwrót. Czy to twoja mądrość stamtąd? Gdybyś jeszcze mógł pomóc w innych kwestiach...

Jej oczy były takie proszące.

— Mojej laluchnie jest zimno. — Pokazała mi nagie dziecko.

Parę miesięcy temu zignorowałbym tę kobietę. Może nawet odepchnęła słowem. Ale teraz zobaczyłam w wariatce matkę.

Bez słowa podałam jej twój kocyk. Szybko okręciła w niego lalkę, mrucząc podziękowanie i nawet błogosławieństwo. A potem, jakby bała się, że odbiorę jej prezent, szybko uciekła.

Najpiękniejsze macierzyństwo widzi się tam, gdzie tak naprawdę go nie ma. Nie ma z nazwy, definicji. Najlepsze, najbardziej oddane matki to te, które nie mają własnych dzieci.

To tak jak wtedy z tą zakonnicą. Pamiętasz? Wsiedliśmy w zły tramwaj i pojechaliśmy pod „Jubilat", zamiast na Podwale. Zaklęłam wtedy, zdenerwowana stratą czasu. Szybko, szybko wracaliśmy pod filharmonię, gdzie w strugach chopinowskich taplały się jakieś dzieciaki. Ona trzymała w ramionach może dwuletnią dziewczynkę. Młoda, śliczna w granatowo-szarej sukience i krótkim welonie. Ile w jej wzroku było miłości, ile czułości w dłoni gładzącej ciemne włoski dziecka.

Kiedyś nie zwróciłabym uwagi na taką scenę, wtedy byłam wdzięczna za to, że pomyliłam tramwaj i mogłam zobaczyć. Stałam, patrząc tej siostrze w twarz, próbując wyczytać z niej odpowiedź na pytanie, jak można aż tak kochać nieswoje dziecko. Jak można aż tak kochać drugiego człowieka.

Tak bardzo chciałbym umieć choć część tak uważnej i pełnej szacunku miłości dać tobie.

***

Z wyjazdem ciotki w życiu Agaty zrobiło się naprawdę pusto. Z Moniką widywała się rzadko. Słuszna ciąża przyjaciółki uziemiała ją, uzależniając od Adriana i jego samochodu. Bardziej mobilna Agata miała dalej zwolnienie leżące i bała się zbyt często pokazywać na mieście. Pozostawały Internet i telefon, które jednak nie zastępowały plot na żywo.

No i był jeszcze Kuba. Pojawiał się czasem, zawsze przywożąc jakieś owoce, jogurty. Coś poprawiał przy domu, samochodzie, wysprzątał ogród na zimę, za co Agata była mu wdzięczna. Potrafili nawet w miarę spokojnie rozmawiać, o ile Kuba nie poruszał tematów rodzinnych. Mógł być, ale obok i nie za często. Agata wiedziała, że może na niego liczyć i to jej wystarczało. Niosło spokój i pewną przyjemność, do której nie przyznawała się nawet przed samą sobą.

Poczekalnia na patologii ciąży pełna była kobiet i ich patologicznych opowieści. Nie mogła słuchać o odklejających się łożyskach, niedokrwistości i konfliktach serologicznych. Odsunęła się na koniec ławki, dyskretnie obserwując czekające na wizytę dziewczyny. Niektóre były z partnerami, tak czułymi, że w Agacie wzbierała zazdrość. Też chciałaby mieć przy sobie kogoś, kto czasem pogłaskałby po dłoni, podsunął drugie śniadanie czy poszedł po wodę do picia. Z prawdziwego uczucia, rzecz jasna. A nie z poczucia obowiązku.

Drzwi do gabinetu otworzyły się. Agata wstała, zbierając torbę i kurtkę. Teraz była jej kolej.

— Bardzo panie przepraszam. — Doktor Sękowicz zamykała za sobą drzwi na klucz. — Wzywają mnie na pilną konsultację, dziś już nie będę przyjmować. Proszę pójść do rejestracji i zapisać się na inny termin. Do widzenia. — Sprężynki brązowych włosów pofrunęły za energiczną lekarką.

— Świetnie! — Agata klapnęła na ławkę, jakby uszło z niej powietrze. — Akurat chce mi się tu jechać kolejny raz!

Bardzo zła, pozbierała swoje rzeczy i poszła do rejestracji ustalić nowy termin na za tydzień. Znów trzeba będzie wstać naprawdę rano i tłuc się te dwie godziny do Krakowa. Ech...

Mam tylko nadzieję, że ten zbyt wysoki cukier to jednak nic poważnego — pomyślała, wychodząc z budynku szpitala.

Pochmurny zimny ranek wykluł się w słoneczne, zimne południe. Mroźne powietrze przyjemnie udrażniało nos i gardło, kumulowało się w płucach. Agata przymknęła na chwilę oczy i oparła plecy o pień rosnącej przy chodniku brzozy, wyobrażając sobie, jak oddaje drzewu stresy i złe emocje, przyjmując w zamian czystą energię. Ignaś, zboksowany podenerwowaniem matki, wiercący się do tej pory, uspokajał się z wolna, przestawał skrobać łapką w ściankę macicy. Agata położyła dłonie na brzuchu, śląc synkowi ciepłe myśli.

— Nie damy się cukrowi, mały. Spoko, spoko. — Głaskała swoje, ukryte jeszcze w jajku, pisklę.

Powoli otworzyła oczy, niezbyt przyjemnie wybudzona coraz głośniejszą rozmową. Odwróciła głowę w stronę ulicy. Chodnikiem nadchodziło dwóch mężczyzn, najwyraźniej pod dobrą datą.

— Ty to masz klawe życie — usłyszała.

— Nie, to ty masz klawe życie.

— Coś ty! Moje dzieci to skurwysyny.

— Nie, ty masz dobre, dobre dzieci. Moje to skurwysyny.

Agata, sprowadzona na ziemię śmieszno-gorzką rozmową, ruszyła powoli w stronę dworca. Chciała już wrócić do domu. Ruch i nachalność Krakowa odpychały ją, powodowały irytację i ból głowy. Śmierdziało spalinami samochodowymi i ludzkim, pełnym obojętności zachowaniem. A samo miasto w bezlistnej jesieni było tylko betonową dżunglą, poprzecinaną nitkami ulic i chodników, na których pstrzyły się psie odchody.

Jedynie architektura budynków przykuwała wzrok. Agata zapatrzyła się na finezyjny pałacyk, stojący przy zbiegu ulic. Misterne wieżyczki i balkoniki cieszyły oko. Przycisnęła głowę do sztachet i, jak małe dziecko, zachwycała się każdym szczegółem. Latem musiało tu być niesamowicie, pomimo bliskości ulicy. Dbały o to wysokie lipy i piękne jodły, pod którymi rosła gęsta trawa i krótko przycięte teraz kwiaty. Pewnie irysy. Nie pominięto chyba niczego. Nad drzwiami wisiał duży, drewniany krzyż, przydając miejscu wyjątkowości.

— Powiedzmy, że dla takiego widoku warto było na darmo przyjechać do Krakowa — mruknęła i wreszcie puściła ogrodzenie, boleśnie zderzając się z kimś głową.

— Bardzo przep... Adrian? No cześć — uśmiechnęła się do męża Moniki. — Co robisz w tym szpitalnym rejonie?

Adrian nie wyglądał na ucieszonego spotkaniem.

— Cześć. Co słychać?

— Wysoki cukier. — Agata zabawnie zmarszczyła twarz. — Miałam mieć konsultację, ale lekarka urwała się na jakieś konsylium czy coś w tym rodzaju. O, rany! — Zauważyła wystające z reklamówki Adriana pampersy. — Już?! To przecież prawie dwa miesiące przed terminem!

— Moniak jeszcze nie urodził. Przecież dowiedziałabyś się pierwsza — uśmiechnął się. — A to — podniósł do góry siatkę — niosę dla koleżanki z pracy. Samotna matka. Nie bardzo ma jej kto pomóc.

Agata pokiwała głową. Uczynny facet z tego Adriana. A Monika to farciara.

— No nic. Będę leciał. Mała podobno sika niemożliwie i potrzebny nowy kontyngent. — Potrząsnął paczką pieluch. — Do zobaczenia!

— Do zobaczenia. — Agata patrzyła jeszcze, jak przebiega przez ulicę i znika w prowadzącej do szpitala bramie.

Świat jednak nie jest taki zły, skoro ludzie chcą sobie jeszcze bezinteresownie pomagać — pomyślała, a na jej twarz wypłynął spokojny, delikatny uśmiech, o jaki nigdy by się nie posądziła.

Obietnic, których nie jest się pewnym, składać nie wolno. Piękna sentencja. Zupełnie jak ta, że mądry Polak po szkodzie.

Ja zawsze jestem mądra po szkodzie. Z tego, co przed, do tej pory nie umiem wysnuć wskazówek na przyszłość.

— Dlaczego pozwoliłaś mi się wprowadzić, skoro nie chcesz ze mną być? — pytasz codziennie, jeśli nie słowami, to wzrokiem.

Wzruszam ramionami. Co mam Ci odpowiedzieć? Że obiecałam sobie coś pod wpływem chwili i nie umiem nie dotrzymać słowa? Taka jest prawda, ale nie potrafię Ci o niej powiedzieć. Zamknąłeś mnie na siebie. Nie chcę dzielić się już z Tobą przeżyciami, czymś bardziej intymnym niż codzienne sprawy.

Podobno takie zapisywanie, wyrzucenie z siebie tego, czego nie można powiedzieć drugiej osobie, ma nam pomóc. Podchodzę do tego sceptycznie. Jak zresztą i do tej całej terapii.

Powiem Ci teraz coś, do czego nie przyznałabym się nawet przed samą sobą.

Kiedy Adrian zostawił Monikę, wystraszyłam się. Wystraszyłam się, gdy zobaczyłam ją skuloną w kącie pokoju. Nie płakała, choć może to byłoby bardziej normalne, niosące ulgę. Monika patrzyła przed siebie, a ja umierałam od tego spojrzenia. Po raz pierwszy zobaczyłam, że oczy potrafią się zaokrąglić nie tylko ze zdumienia.

Patrzyła tak, jakby nie rozumiała i jakby nie była w stanie niczego zrobić bez Adriana. Nawet zaparzyć sobie herbaty.

I wtedy właśnie się przestraszyłam. A jeśli ja sobie nie poradzę? Jeśli ucieknę w siebie, tak jak moja przyjaciółka? Ze wszystkimi swoimi strachami zawsze szłam do Ciebie. I wtedy też, odruchowo, wybrałam twój numer.

Przyjechałeś szybko. Nie wiem, jak nakłoniłeś ją do położenia się na łóżku. Zrobiłeś herbatę i parę kanapek. A potem, jakimś cudem, sprawiłeś, że je zjadła. Ja o tym nie pomyślałam, razem z Moniką wyszłam poza rzeczywistość. Stałam bez ruchu w progu pokoju i ssałam koniec warkocza, patrząc, jak opiekujesz się moją przyjaciółką. Kazałeś mi z nią zostać na noc i potem jeszcze parę dni.

Byłyśmy ze sobą milcząco. Monika nie chciała nawet powiedzieć, co się stało.

Ty nie pytałeś. Przyjeżdżałeś codziennie z drobnymi zakupami i patrzyłeś na nas uważnie. A któregoś dnia przywiozłeś całą wyprawkę dla dziecka, której Monika jeszcze nie miała. Wózek, wanienka, łóżeczko, jakiś przewijak i worek ubranek dla niemowlaka.

— Kolega oddał, za niewielkie pieniądze — szepnąłeś do mnie w korytarzu.

Staliśmy tam i patrzyliśmy, jak Monika powoli porusza się między tym, co powinno być gromadzone powoli i z miłością, a nie: zostać zwiezione przez obce osoby. Moja przyjaciółka dotykała wszystkich rzeczy po kolei, jakby zastanawiała się, do czego służą.

— To takie dziwne — powiedziała po chwili. — Agata sama zrobiła wyprawkę, ty — spojrzała na Ciebie — przywiozłeś ją dla mojego dziecka, Adrian zapewne też ją zrobił. Dla tego swojego pierwszego dziecka. Po co tak wszystko komplikować?

Z bólem patrzyłam, jak z tym wielkim brzuchem przemieszcza się między łóżeczkiem a przewijakiem, próbując ustawić je w pokoju. Powoli dodawałam dwa do dwóch. I już wiedziałam, że wtedy, że te pieluszki nie były dla dziecka koleżanki. Wiedziałam i nie potrafiłam w żaden sposób pomóc.

Chyba bardziej bolała mnie historia Moniki niż moja własna; ja przynajmniej miałam czas, żeby oswoić się z myślą o samotnym macierzyństwie. Co czuła kobieta w zaawansowanej ciąży właśnie zostawiona przez męża? Nie potrafiłam sobie tego wyobrazić, pamiętając własny ból.

Więc przestraszyłam się. Że gdyby kiedyś, coś, cokolwiek, to też mogłabym tego samotnie nie unieść. I to wtedy, a dokładnie parę dni później złożyłam sobie tę głupią obietnicę.

Wchodziłam na drugie piętro przychodni, żeby odebrać papierek decydujący o zdrowiu i życiu naszego dziecka. Stopień za stopniem, bardzo powoli. Bałam się. Bałam jak jeszcze nigdy w życiu. Bardziej niż wtedy, gdy mnie zostawiłeś i wydawało mi się, że świat rozsypał się w kawałki. Śmieszne, teraz w ogóle nie postrzegam tego w takich kategoriach. Ale do rzeczy. Szłam po tych schodach ze świadomością, że za chwilę będę już wiedzieć. I że to może być różne „wiedzieć", prawda, której już nijak nie odsunę w czasie. To wtedy, gdy pielęgniarka podawała mi kartkę z wynikiem, obiecałam sobie, Tobie i dziecku spróbować jeszcze raz. Jeśli tylko będzie dobrze. Jeśli tylko nasze dziecko dostanie szansę na zdrowie.

Dlatego pozwoliłam ci się wprowadzić.

Haha. Dobre. Zadanie domowe na stare lata. Terapeutka kazała mi sobie przypomnieć jak najwięcej rzeczy, które robiłeś dla mnie bezinteresownie. Poszło łatwo, ale bynajmniej nie doprowadziło do żadnych łatwych wniosków.

Zapisałam wszystkie te Twoje „dobre uczynki", nie pominąwszy tych najbanalniejszych, jak wyciagnięcie wieczorem masła z lodówki, żeby rano nie trzeba było go skrobać. Nie pomyślałam natomiast o kwiatach, które przynosiłeś bez okazji. To zadanie dla mężczyzn lubiących łatwiznę i łatwo osiągnięte efekty.

Dopiero teraz widzę, że właśnie te drobne, zwyczajne rzeczy są ważniejsze od kwiatów, ważniejsze od słów. Słowa to też łatwizna. I, ponieważ nie przeczytasz tego nigdy, powiem Ci, że teraz jestem pewna, że to ja szłam w naszym związku na łatwiznę.

Z perspektywy doświadczeń, czasu, który minął, inaczej widzi się pewne rzeczy. Na pewno mądrzej. Szkoda tylko, że niektórych spraw nie można cofnąć. Chociażby Twoich słów. Przykro mi. Wszystko widzę przez pryzmat tego, co powiedziałeś mi przy rozstaniu. A takie słowa bolą bardziej niż czyny.

Nie umiem zapomnieć, nie ufam Ci w żaden sposób, nie wierzę.

Zaczynam myśleć, że miałeś rację, mówiąc, że chyba się nie dobraliśmy. Coś w tym jest. Przy Tobie byłam i znów jestem malkontentką. Przeżuwam życie, zamiast się nim cieszyć.

Gdy się wyprowadziłeś, było mi bardzo źle. Ale potem, pomału, zaczęłam żyć naprawdę. Oddychać. Teraz, kiedy znów się sprowadziłeś, zrobiłam co najmniej pięć kroków w tył. Czuję się dobrze tylko wtedy, gdy Ciebie nie ma. Cieszę się, gdy wychodzisz do pracy. Kiedy wracasz, zawijam się w koc, biorę książkę i uciekam. Od pełnego Ciebie domu i od nas w tym domu.

Czasem myślę, że chętnie zamieniłabym się z Moniką. Chciałabym, tak jak ona, obijać się tylko wśród własnych sprzętów i ścian. Wśród pozbawionego kompromisów wystroju domu i siebie.

— Nie jestem ci w ogóle do niczego potrzebny? — pytasz z takim bólem w głosie, że na moment się zatrzymuję, zastanawiam.

Ale chwilę potem jest już dzika satysfakcja. Wiem, że znęcam się nad tobą, mówiąc:

— A wiesz, że chyba nie?

Jestem okrutna. Kiedyś nie potrafiłam bić, teraz umiem uderzyć dwa razy mocniej.

Uczeń przerósł mistrza.

***

Znaki, znaki. Wszędzie znaki, takie które boksują głowę, uderzają w podjęte postanowienia.

Dzisiaj — rozmowa dwóch dziewczynek, a raczej napastliwa indagacja jednej z nich. Nie bójmy się świata. Bójmy się dzieci i tych, którzy je wychowują.

— To co z tym twoim tatą? — Czarnowłosa dziewczynka zsuwa się w dół po niezasypanych jeszcze śniegiem drabinkach.

— Nic. — Drobna blondynka kopie stopą dołek w ziemi.

— Kłócą się z twoją mamą, co?

— Wcale nie!

— No bo z wami nie mieszka.

— Tata wyjechał. Pracuje bardzo daleko.

— Ale ma nową rodzinę, tak?

— Nooo, tak.

— Czyli już nie kocha twojej mamy i ciebie?

Płacz. Kurtyna.

A dla mnie argument, żeby ciągle próbować. Dla ciebie próbować, synku. Mój światopogląd zmienia się diametralnie z: najpierw ja, a potem reszta świata na: najpierw ty, a potem reszta świata. Wiem, że jest to wybór dobry na dzisiaj; jego powodzenia w przyszłości nie jestem w ogóle pewna.

OK. Przyznaję, dziś ucieszyłam się, że jednak jesteś obok.

Leżałam w ciepłej wodzie, opóźniając moment wynurzenia się w naszą nieciekawą codzienność. Woda powoli robiła się chłodnawa, więc szybko umyłam włosy i odkręciłam kurek. Z kranu popłynęła letnia, a chwilę potem już tylko zimna woda. Cholerny bojler! Nie miał się kiedy wyłączyć! Krzyknęłam o pomoc.

Szybko przyniosłeś farelkę i obstawiłeś garnkami wszystkie palniki. Siedziałam w wannie, przytulona do kolan i brzucha. Szczękałam zębami i myślałam, że gdyby Ciebie nie było, musiałabym wyjść z wanny, wytrzeć się szybko, zagrzać wodę i dokończyć kąpiel. Wykonalne, ale bardzo uciążliwe.

No więc doceniam. We dwoje faktycznie łatwiej. Tyle że niekoniecznie przyjemniej.

Na terapii wokoło dupy — cały czas to samo. Co jest w emocjach? Co czuje pani do męża? Poza tym są zadania domowe: romantyczne kolacje i spacery. Coś, co kiedyś sprawiało przyjemność, teraz jest chybionym rozpamiętywaniem przeszłości. Karykaturą, krzywym zwierciadłem.

Coraz mniej mi się chce. Już prędzej wierzę we wskrzeszenie Łazarza niż ożywienie zdechłej miłości. Walę głową w mur, próbując odpowiedzieć sobie na pytanie, czy moje małżeństwo TYLKO przeżywa kryzys, czy tak naprawdę nigdy nie miało sensu. Nie umiem nas zdiagnozować, a terapia wcale mi w tym nie pomaga. A tak na marginesie; dopiero teraz rozumiem pełen politowania uśmiech Twojej matki, kiedy powiedziałam jej, że to niemożliwe, żebyśmy kiedyś przestali się kochać. Widzę, że nie trzeba być jasnowidzącą, żeby przepowiedzieć taką przyszłość niemal każdej parze małżeńskiej. To na tym ma polegać małżeństwo? Na nieustannym windowaniu się z kryzysów i krótkich chwilach spokoju? I tu też pieprzona sinusoida.

Ciekawe, czy stan wiedzy, który osiągnęłam, to już mądrość czy tylko rezygnacja? I ciekawe, co jest jedynie słuszne: trwanie przy sobie w imię tych strasznych słów: „na dobre i na złe" czy trwanie przy sobie aż do śmierci dobrego. Znamienne, że w małżeństwie tak naprawdę nie ujmuje się całej formułki, tylko rozbija się ją na części. Przed ślubem, pierwsze lata po, jest tylko „na dobre". W kryzysach — „na złe".

Tyle refleksji, a ja nie jestem ani o jotę mądrzejsza. Może tylko dopiero teraz rozumiem pary, które trwają ze sobą „na złe".

zapiski Agaty

Żyjemy ze sobą... uprzejmie. Nie przepychamy się w drodze do łazienki, podajemy sobie masło, robimy herbatę. Pod maską poprawności domowych stosunków — pomrukujący wulkan chamstwa, błota i nielubienia siebie, gotowy wybuchnąć przy najlżejszym potarciu. To dlatego obchodzimy się ze sobą jak z jajkiem. Udajemy entuzjazm, gdy go nie czujemy, tłumimy złość, która rozsadza nas od środka. To są te... kompromisy? Czy może głupota, z góry skazana na niepowodzenie próba oszukania siebie?

Nie wyszło, kiedy byliśmy sobą. A ma wyjść teraz, na spoiwie słodkomdlącej uprzejmości, układności? To ślepy zaułek. A właściwie nawet nie. Ślepy zaułek to ślepy zaułek, jakiś koniec, granica. Nasza droga to droga donikąd.

Wykluwasz się powoli w każdej części domu. Dokładnie oczyszczone przeze mnie pomieszczenia znów zapełniają się Tobą. Przeszkadzasz, zakłócasz moje życie.

O ile przedmioty potrafią prawie nieboleśnie wrócić na swoje miejsce, o tyle my nie umiemy poukładać siebie na nowo w starym. Są dni lepsze, są i gorsze. Nie, nie w tych kategoriach — są dni łatwiejsze i trudniejsze. W te drugie przeszkadza mi wszystko: Twój wygląd, zapach, upierdliwe nawyczki pozostawiania okruchów chleba na stole, niezasuwania za sobą krzesła. Psychologicznie sprytne; przezornie zostawiasz po sobie ślady, jakbyś mówił: „byłem tu i wrócę".

Ja też załatwiam Cię psychologicznie, dawniej powiedziałabym, że fengshujowato. Wieszam obrazy samotnych kobiet, a z sypialni przeganiam seks repliką pięknego „Macierzyństwa", w którym nie ma miejsca na pierwiastek męski.

Śpimy na jednym łóżku, ale jakby osobno. Dba o to wyciągnięta z pawlacza zapasowa kołdra. Kiedy ciała nie grzeją się sobą, trudniej sprowokować zbliżenie. Osobna kołdra jest tak samo erotyczna jak spanie na oddzielnych łóżkach.

Właściwie nie mam nic przeciwko seksowi. Nie miałam nawet oporów, żebyś po wprowadzce zamieszkał od razu w naszym dawnym łóżku. Było mi to obojętne. Mogłabym tak samo spać obok przyjaciela, kogoś z rodziny lub zupełnie obcej osoby. Wtedy, tej pierwszej nocy, przytuliłeś się do moich pleców.

— Jak dobrze, jak dobrze. — Leżałeś przy mnie bez ruchu, szepcząc te słowa.

Wcale nie czułam tego samego. Gdybyś wtedy popatrzył mi w twarz, znalazłbyś tam grymas dzikiej satysfakcji i rozgoryczenia, że mogliśmy tkwić w tym samym punkcie bez Twojego wyskoku.

I tak nam płynęły te wspólne noce, dokąd nie rozdzieliłam ich kołdrami. OK. Mogłam się z Tobą kochać — po prawdzie: uprawiać seks — ale przeszkadzał mi brzuch. Nie chciałam, żebyś go dotykał, całował. Nie chciałam przyzwyczajać dziecka do Ciebie i odwrotnie.

— To dziecko tak fiknęło? — Z niedowierzaniem przesuwałeś dłoń po moim brzuchu w poszukiwaniu kolejnych kopniaków.

— Tak. Masz ciężką rękę. — Wykręcałam się spod Twego ramienia.

Więc było mi obojętne, czy jesteśmy w łóżku ze sobą, czy jestem sama. Ja byłam już na Ciebie odporna, przechorowałam Cię. Ale dziecko nie. Co z tego, że powtarzałeś to swoje:

— Wiem, że mi nie wierzysz. Ale to, co się stało, sporo we mnie zmieniło. Wiem, że najważniejsza jest rodzina. Już nigdy nie zrobię takiej strasznej głupoty.

Może Ci uwierzę.

Kiedyś.

Za pięćdziesiąt lat.

— Ładnie wyglądasz — powiedziałeś, zdejmując mi buty.

Zerknęłam w lustro. Rozwichrzone pod czapką włosy, zaróżowione policzki i błyszczące — naprawdę błyszczące! — oczy.

— Ty też — zrewanżowałam się, bo na chwilę w Twoich roześmianych oczach doszukałam się tamtego Kuby. Kuby sprzed.

Gdy daję pamięci wolne, wraca to, co było dobre.

Dziś z pierwszego śniegu ulepiliśmy bałwana. Śmialiśmy się jak dzieci, tocząc kule, nasadzając je jedna na drugą. Potem zrobiłeś zdjęcia.

— Do albumu — powiedziałeś. — Pierwszy bałwan Ignasia.

Potem była herbata i grzanie pleców o kafle pieca. Pogłaskiwanie Tofi i Felka. Było tak, jakby czas się cofnął. Nie, jakby zaczął się od nowa.

***

Kształtuję cię myślą, słowem i czynami.

Dziergam ząbki twoich paluszków, modeluję muszelki uszu, żeby potem wkładać w nie świat.

Twoim oczom obiecuję morze kolorów: sino-fioletowe niebo, biel śniegu za oknem i czerwoną kropkę biedronki, która zajada się teraz zupą z cukru.

I smaki ci obiecuję. Ten najsłodszy, czekoladowo--pocałunkowy, i ten słony, którego nie chcę ci obiecać, a muszę.

Ale wiesz?

Łzy, choć słone, bardzo często są szczęśliwe.

Zastanawiam się, synusiu, na ile będzie prawdziwe to, co ja teraz do ciebie, o tobie. Patrząc na niektóre kobiety, podgryzane hormonami i macierzyństwem, mogę przypuszczać, że nie zawsze będzie to „morze kolorów" i ten smak najsłodszy....

Ciotka słusznie podsumowała mnie kiedyś, mówiąc, że w moim życiu wszystkiego jest po raz. Jedna ciotka, jeden kot i jedna przyjaciółka. Dodała jeszcze, że to nienormalne. Teraz widzę, że miała rację. Od czasu, kiedy wyjechała, nie mam z kim porozmawiać, tym bardziej, odkąd z Moniką stało się to, co się stało. Monika też jest nienormalna. Także ma tylko jedną przyjaciółkę — mnie.

I ta przyjaźń teraz nam się nie zgrywa. Ja chciałabym porozmawiać o swoich problemach, o tym, że mieszka u mnie mój mąż. Ale przecież nie mogę jej opowiadać o tym, że nie wiem, czy go kocham, podczas gdy ona dałaby wszystko za taką sytuację jak moja. Za to, żeby Adrian wrócił. Nawet z bagażem dziecka w drugim domu.

— On nie wróci. Uwił ciepłe gniazdo ze znajomą twojej koleżanki, pamiętasz?! — Siłą wyrywam jej z ręki telefon.

Płaczemy razem. I wtedy słyszę największe w świecie bluźnierstwo:

— Wolałabym, żeby był. Żeby oszukiwał, zdradzał, wracał do tamtej, ale był. Rozumiesz?

Nie, nie rozumiem. I nie próbuję zrozumieć. Każdy ma własną granicę bólu i upokorzenia. I własne klapki uczucia na oczach.

Trudno mi się do tego przyznać, ale zazdroszczę Monice jasności sytuacji. Zawsze byłam tchórzem. Pozostawiałam losowi podjęcie za mnie ważnych decyzji. Taki zdrowy egoizm. Pozbawiałam się w ten sposób wyrzutów sumienia.

Teraz jest inaczej. To ja muszę podjąć decyzję. I to w miarę szybko. Zwłoka grozi kalectwem. Kalectwem emocjonalnym mojego syna.

Ty jesteś, dziecko, stukniętą idealistką — napisała moja ulubiona krewna.

A ciotka jest ciotką nowoczesną. W odpowiedzi na mojego SMS-a wymailowała mi kazanie:

Ty jesteś, dziecko, stukniętą idealistką.

Dobrze, że przynajmniej nie wierzysz w bociana i kapustę; w Twoim stanie byłoby to już niesmaczne :)

Wybacz, ale coraz bardziej rozumiem Kubę, a Ciebie — coraz mniej. Fakt, chłopak nawalił, ale wrócił, próbuje Was naprawić. A Ty ciągle użalasz się nad sobą i nad tym, co było. Do przodu trzeba, Agatko, do przodu, a nie do tyłu. Wiem, że boisz się kolejnej porażki, skrzywdzenia, ale nic nie jest nam dane raz na zawsze. To głupie przekonanie, które rewiduje się doskonale w życiu codziennym.

Ślub daje gwarancję na bezkolizyjne, milutkie współistnienie na góra parę lat. A później, tak jak z żelazkiem czy pralką, to już właściwie konserwacja, prewencja i szacunek. Zepsutego żelazka nie wyrzucasz od razu do śmieci, tylko próbujesz naprawić, tak? Rozumiesz, co chcę powiedzieć?

I nie zazdrość mi, że znów mam motyle w brzuchu. Są — i to pioruńskie — ale i one zdechną za jakiś czas. Przynajmniej moje poprzednie zdychały :) I to jest reguła, najczęściej bez wyjątków. A ty się próbujesz wyłamać, szarpiesz siły na coś, z czym i tak sobie nie dasz rady. To tak, jakbyś chciała szampana pić przez całe życie.

Możesz. Tylko widzisz — to, co dobre w młodym wieku, nie zawsze sprawdza się w tym późniejszym.

Potem to już znacznie bardziej adekwatny jest kompot z rozgotowanymi truskawkami. Swojski, od lat ten sam. Pewny. Nie jest może jakoś specjalnie wykwintny, ale nie zaszkodzi jak pity w nadmiarze szampan. No i zawsze możesz podać go w ładnej szklance.

Cała sztuka to umieć przejść od tego szampana do kompotu.

Kończę. Jureczek zabiera mnie na podkarmianie motyli. Idziemy tańczyć! Szampan też będzie :)

I, dla zupełnego kontrastu, SMS od Michała: *A jeśli kiedyś Bóg powie: Dałem Ci rozum, wolną wolę i ciało, a ty zakopałaś to wszystko głęboko w ziemi, nie zrobiłaś z tym nic?*

Opaczne, bo opaczne, ale co, jeśli tak faktycznie będzie?

Szampan vs kompot z truskawek — 1:1.

dopisek Kuby

Twoja ciotka to bardzo mądra kobieta.

Gdybyś mnie zapytała, to zdecydowanie **kompot vs szampan — 1:0**

Wtedy przez chwilę myślałem, że jednak szampan, ale tym bardziej teraz wiem, że jednak ten nasz wspólny kompot. Z truskawką w środku :)

Przepraszam, że przeczytałem. Zeszyt leżał na wierzchu i pomyślałem, że założyłaś dziennik pokładowy, który mieliśmy prowadzić z racji terapii. A kiedy zacząłem czytać, to nie mogłem przerwać. Widzę, że na papierze jesteś bardziej szczera ze mną i samą sobą niż w rozmowach. A to nam nie pomaga.

W porównaniu z Twoją sinusoidą mogę powiedzieć, że jestem *constans*. Wiem, że chcę z Wami być i dzień po dniu naprawiać to, co się stało. Wierzę, że warto i że to dobra droga. Dlatego trudno mi znosić te, jak je nazwałaś, łatwiejsze i trudniejsze dni. Trudno mi w tym znaleźć jakąś stałą wartość. Źle się czuję, gdy jednego dnia pozwalasz mi się przytulić i jesteś miła, a kolejnego patrzysz na mnie tak, jakbym wyrządził Ci najgorszą z możliwych krzywd.

Agata, to trzeba ujednolicić. Tu muszę przyznać Ci rację. Albo faktycznie zacznijmy żyć do przodu, albo nie żyjmy ze sobą wcale. Dla dobra nie tylko dziecka, ale i nas samych.

To, co się stało, nie odstanie się. Mamy teraz pod górkę, ale to nie oznacza, że kiedyś nie będzie łatwiej. Jeśli tylko w końcu wybaczysz mi te głupie słowa... Bo reszty nie musisz.

Tak, ja też nie byłem z Tobą do końca szczery. Nie pytałaś, nie chciałaś wiedzieć. Wystarczyło Ci parę maili i to imię: KatJa. Więc nie mówiłem. Było mi wstyd i przed Tobą, i przed samym sobą.

Ja Cię nie zdradziłem. Dałem się wrobić jak głupi naiwniak, skusiłem się na tego szampana, którego, dzięki Bogu, nie było. Były tylko zdjęcia, wymiana maili i SMS-ów. To wszystko. Nie wyprowadziłem się do niej, nawet nigdy się nie widzieliśmy w realu.

Ona unikała spotkań, odwoływała je w ostatniej chwili. KatJa nie istnieje, nie istniała nigdy! Rozumiesz?

Owszem, jest gdzieś ta dziewczyna ze zdjęć i plakatów. Dokleiły ją do siebie dwie małolaty, które miały za dużo wolnego czasu. Zauroczyłem się, może nawet zakochałem w zdjęciach, mailach i SMS-ach. Zrobiłem z siebie kompletnego idiotę, wiem. I całe szczęście, nawet nie wiesz, jak bardzo się cieszę, że KatJa okazała się tylko głupim żartem. Że Ciebie nie zdradziłem.

zapiski Agaty

Nie zdradziłeś mnie, nie. No, hurra! Ale gdyby ona istniała, zrobiłbyś to bez mrugnięcia okiem, ale jeszcze jak! Więc daruj sobie ten entuzjazm, bo ja się wcale lepiej nie czuję!

Zdradziłeś mnie, ależ tak! Skopałeś, sponiewierałeś i zostawiłeś dla kogoś, kto nawet nie istniał! Tak. Mieliśmy farta, że KatJa to nic więcej, jak tylko plakat nawleczony na nudzące się nastolatki.

dopisek Kuby

Po tym wszystkim i tak nie potrafię sobie spojrzeć w twarz. Nieważne, czy mi wierzysz, czy nie, ale rozmawiajmy ze sobą. Wyrzuć ten dzienniczek i rozmawiajmy.

ROZMAWIAJMY!

Agata?

Agata?

Agata, porozmawiaj ze mną, proszę. Przepraszam, myślałem, że ułatwię sprawę, jeśli Ci powiem prawdę. Nie spodziewałem się, nie rozumiem, że widać łatwiej byłoby Ci się pogodzić ze zdradą. Wygłupiłem się przed Tobą i sobą zupełnie bez sensu. Teraz to już chyba nie warto próbować. Jeśli naprawdę tego chcesz, wyprowadzę się.

Jest coraz gorzej. Nie rozmawiamy ze sobą, nie potrafię nic do niego napisać w tym zeszycie. Nie potrafię wybaczyć, zrozumieć, że potraktował mnie jak śmiecia dla fikcyjnej osoby. I że nie rozumie tego, jak się czuję. A to tak strasznie boli.

Przerwaliśmy terapię.

K. przeniósł się ze spaniem do salonu.

Nie ma już dni łatwiejszych i trudniejszych. Nie ma żadnych. Unikamy się dotykiem, słowem, oczami. Jak to możliwe, żeby ktoś nieistniejący tak całkiem nas podzielił?! Skończyła się niechęć, może nienawiść. Jest tylko obojętność.

Nie ukrywam tego zeszytu. Nie umiem, nie chcę już nawet pisać o naszych sprawach. K, widać, też nie.

***

Nowy rok, spowity w biel, zawitał do N. Śnieg przykrył domy, samochody i drzewa, miękko otulił to, co nieładne lub kanciaste. Znienawidzona w miasteczku fontanna, wybryk burmistrza, przestała straszyć, nabierając swojskich obłości. Nawet ludzie złagodnieli, zupełnie jakby twarze wygładziły im się w blasku odbitego od śniegu słońca. Tylko Agata, pogrążona w niewesołych myślach, odstawała od tego tła jak stado gawronów naruszające białą przestrzeń trawnika.

Monika urodziła. Z początkiem stycznia odeszły jej wody płodowe i Leśniakowie zawieźli ją do szpitala. Kuba wrócił do domu, lecz Agata została, by tkwić wiernie w poczekalni, w zastępstwie Adriana — wiarołomnego męża. Z przerażeniem słuchała krzyków i zawodzenia Moniki oraz kilku innych kobiet. Noc okazała się hojna dla przyrostu demograficznego.

Monika nie zdecydowała się na płatny pokoik, jedynkę czy dwójkę, choć Agata ją do tego namawiała. Leżała w sali sześcioosobowej. Pięć łóżek tonęło w czułościach i prezentach. Ostatnie było zasłane niewymiętą pościelą. Agata siedziała na okrągłym krzesełku i patrzyła na śpiące dziecko.

— Michaśka, tak? — Delikatnie dotykała zapałkowatych paluszków.

— Co? Tak. Chyba tak. Zresztą nie wiem — Monika uciekała i jej, i Michaśce.

— Weź ją. Przytul. — Agata podsuwała wózek z małą do jej łóżka.

Nawet na nią nie spojrzała:

— Dobrze jej tam. Miękko.

Agata brała dziecko na ręce, ostrożnie opierała o brzuch i próbowała pokazać mu, że na tym świecie jest czułość i że są ramiona, w którym małym dzieciom jest najlepiej. Choć na razie, może nie te najważniejsze.

— Nie ma nic trudniejszego niż rodzić dziecko komuś, kto na nie nie czeka. — Monika krótko zwierzyła się ze swoich uczuć i znów uciekła.

Agata odłożyła Michaśkę i również uciekła. Od tej strasznej samotności w pojedynkę do swojej własnej — we dwójkę.

Szopka bożonarodzeniowa — styczniowy wyrzut sumienia, złość i żal, że nad kolebką mojego brzucha nie ma tego spokojnego szczęścia. Wokoło szopki — współczesne repliki i pastisze Świętej Rodziny. W niedzielnej wersji, rozmiękczeni widokiem żłóbka, prawdziwi czy tak fałszywi?

Łowię wzrokiem świętych Józefów, próbuję wypatrzyć ich przewagę nad Kubą. Łowię czułość, tkliwość tak piękną na męskim obliczu, łowię dotyk dłoni, nitki spojrzeń, którymi oplatają żony i dzieci. Użalający się nad sobą masochizm — ja — pod szopką stoję sama. Taaa, wszyscy mają lepiej ode mnie...

O, nie! Stop! Skąd mogę wiedzieć, jaki tydzień ukrywa się pod niedzielą każdej rodziny? Kompot z truskawek czy wciąż szampan? Nie wiem i ta niewiedza niczego mi nie ułatwia.

Patrzę na stajenkę, jakbym chciała z niej wycisnąć odpowiedź na swoje pytania. Ładne, naturalnej wysokości figury są na wyciągnięcie ręki, nie stoją na żadnym podwyższeniu... O, Boże! Oni są nami! Ich historia jest taka... współczesna. Nie, to złe słowo. Może lepiej: podobna naszym? Pozamałżeńskie dziecko, ojczym — to brzmi tak naturalnie, tak... bardziej prawdopodobnie niż matka plus ojciec plus dziecko.

No dobrze, a co widać na ich twarzach? Czy rozwiązany problem, wypracowane szczęście, spokój?

Mój Boże! A więc prawzorzec był daleki od ideału? Ideału w naszym pojęciu, oczywiście… A może mimo wszystko to jest standard i obietnica na przyszłość? Przemurowany miłością do Boga i siebie falstart?

Im dalej, tym ciemniej.

Im więcej rozumiem, tym rozumiem mniej — moja wersja powiedzenia.

Adrian nawet nie odwiedził Moniki i Michaśki. Tak, jakby nigdy nie istniały. Jest szczęśliwym „mężem" i ojcem, o czym doniósł żonie za pośrednictwem portalu społecznościowego.

Michaśka na całe szczęście jest zdrowym, spokojnym maluchem. Je i śpi na zmianę, i leży w swoim łóżeczku, otulona kocykiem i zimną przytulnością maskotek. Monika nie umie być matką. Ciągle jest tylko porzuconą kobietą, której podmieniono męża na dziecko. Ona też nie potrafi przerobić lekcji 2+0 i zrozumieć, że nie ma takiej siły, która by gwarantowała NA ZAWSZE.

***

Myślała, że ją dzisiaj pobije! Ona, która nie ma zielonego pojęcia, jak sama sobie poradzi z byciem matką.

Michaśka płakała coraz głośniej, a Monika nie potrafiła nawet podnieść głowy z poduszki, żeby zobaczyć, co się z nią dzieje. Pewnie, Agata mogła przytulić dziecko, przewinąć je, po raz kolejny pozwolić przyjaciółce odpłynąć w swój świat. Lecz nie, nie zrobiła tego. Siedziała przy łóżku i zamykała oczy, słysząc coraz bardziej żałosne: „nee, nee, nee, nee". Płacz noworodka, to bezradne kwilenie, bardziej szarpie serce niż krzyk niemowlaka.

Ignaś niespokojnie wiercił się w brzuchu, jakby czuł niedolę Michaśki na własnej skórze. Pozostawione sobie dziecko przywiodło Agacie na myśl tysiące maluchów, które nie miały rodzin. Czy Monika da radę nie wybrać takiej opcji dla Michaśki?

Agata spojrzała na nią i mocno potrząsnęła za ramię.

Tamta wreszcie usłyszała. Dźwignęła się i zajrzała do łóżeczka.

— Tak, słyszę — odpowiedziała na niezadane pytanie. — Czasem tylko nie umiem sobie przypomnieć, jak to jest podnieść nogę, żeby wstać z łóżka.

Agata zesztywniała. Czego dowie się za chwilę? Że Monika nie rozumie instrukcji przyrządzania mleka? Że nie wie, ile to jest czterdzieści mililitrów?

Przeklinając w myślach Adriana, sprawcę podwójnej depresji przyjaciółki, pomogła jej wstać. A ona powoli zbliżyła się do łóżeczka i wzięła małą na ręce. Płacz dziecka przeszedł w popiskiwanie, rączki powędrowały do buzi.

Monika rozpłakała się, zaś Agata odetchnęła z ulgą, że w jakiś sposób tamy puściły. I to dosłownie — uruchomiona kwileniem dziecka miłość zmoczyła matce koszulę nocną aż do kolan.

— Muszę ją nakarmić — powiedziała, więc Agata ruszyła do kuchni po butelkę.

Monika powstrzymała ją, kręcąc głową.

— Wreszcie mogę. Wreszcie chcę. — Spokojnie pozwoliła małej poszukać swojej piersi.

Agata była przeszczęśliwa, że nareszcie się odnalazły. I tak cholernie dumna z młodej matki, która powiedziała jej potem, gdy Michaśka spała w matczynych ramionach:

— Kiedy patrzyłam, jak płacze, poczułam taką miłość, że to, co czułam do Adriana, wydało mi się śmieszne. Chciało mi się płakać i śmiać jednocześnie. To było jak...

No właśnie, do czego ona to przyrównała? — Agata zassała końcówkę warkocza. Notowała, jak zawsze ostatnio, przebieg wizyty u dziewczyn, będącej pretekstem do kolejnych przemyśleń.

Wyszarpnięty z jej rąk zeszyt trzasnął o stół. Obraz Moniki z Michaśką rozmazał się w stojącego nad nią Kubę. Agata wyrwana z radości nad wygraną przyjaciółki, poczuła narastającą szybko agresję.

— Co to ma znaczyć? — wycedziła.

— A jak myślisz?! Ciągle tylko przerabiasz sprawy Moniki, jakby nasze własne zupełnie nie istniały. Jakbyśmy my nie istnieli. Zawsze będziesz świecić odbitym od jej problemów światłem?!

Brwi Agaty uniosły się w zdumieniu.

— Poniekąd ty sam żyjesz jej sprawami. Pomagasz, robisz zakupy. To nie to samo?

— Tak! Pomagam! Ale nie pieprzę o tym dwadzieścia cztery godziny na dobę! Nie egzaltuję się w pamiętniczkach!

— Nie życzę sobie, żebyś na mnie wrzeszczał. Zresztą nie mamy o czym mówić. — Agata podniosła zeszyt i wyszła z sypialni.

— Fakt. Nie mamy. — Kuba wyjął z pawlacza torbę i zaczął do niej wrzucać wyszarpnięte z szuflad ubrania. O drugą, już spakowaną, Agata potknęła się w salonie. Serce podjechało jej do gardła, a stres odtworzył chwile sprzed pół roku.

— Co robisz? — zapytała nieswoim głosem.

Nie odpowiedział, dalej pakując swoje rzeczy. Potem zatrzasnął szufladę. Przez chwilę popatrzył na stojące na komodzie zdjęcie buzi Ignasia i włożył je do torby. Zasunął zamek.

Wyczekiwana przez Agatę wyprowadzka Kuby, upragnione rozwiązanie sprawy, nie przyniosło spodziewanej ulgi. Zamiast niej znowu pojawiły się strach i niepewność. I przeraźliwie głupia wiedza, że nie wie zarówno, czego chce, jak i tego, czego nie chce.

— Porozmawiajmy...

— Porozmawiaj sobie z pamiętniczkiem. — Kuba wynosił torby do przedpokoju.

Agata bezradnie kręciła się po salonie, czekając na trzaśnięcie drzwi. Nie wiedziała, co powinna zrobić, wiec nie zrobiła nic, próbując na gwałt wycisnąć z siebie jakąkolwiek podpowiedź lub choćby ocenę własnych uczuć.

Z jednej strony chciała tej wyprowadzki. Chciała znów odzyskać się dla siebie i dla Ignasia. Przez ciągłe przepychanki z Kubą nie umiała już skupić się na dziecku, a powiększający się w obecności męża brzuch odczuwała jako dyskomfort. Drugą stroną medalu było to, że ciągle nie wiedziała, czy rozstanie z Kubą okaże się tą właściwą drogą. Czy jej kolejny związek nie zabrnie w taką samą pokręconą uliczkę.

W przedpokoju nadal panowała cisza. Agata, spięta do granic możliwości, zajrzała przez uchylone drzwi. Kuba siedział na stołku, obejmując rękami głowę. Przez chwilę chciała podejść i przytulić się do niego, ale nie potrafiła ruszyć z miejsca.

— Nie umiem podjąć tej decyzji. Nie tym razem — powiedział, nie zmieniając pozycji.

Ja też nie umiem jej podjąć. Nie wiem, czy bardziej wolę szampana, czy kompot z truskawek. Synteza szampana z truskawkami byłaby idealna. Ale realna chyba tylko w sferze gastronomicznej. Czy Niechcic wyglądałby dobrze oblepiony nenufarami? Tak samo źle, jak Toliboski w gumiakach.

A jednak dążymy do syntezy i spokojną męskość Niechcica lukrowałybyśmy Toliboskim. A to, cholera, chyba naprawdę nie jest możliwe.

zapiski Agaty

Ubrania Kuby wróciły do szuflad, walizki do garderoby. Na komodzie — buzia Ignasia, który już niedługo będzie musiał urodzić się do naszych problemów. Na razie w nieświadomości (?) czeka na spotkanie z nami, nauczycielami, których wybrał sobie na odrobienie życiowej lekcji. Bo on już ma to zadanie domowe, niezależne od naszych chęci czy niechęci. Kiedy myślę o tym, że przynajmniej ten początek, zrzut gdzieś tam z góry, nie jest wynikiem moich działań, jest mi lżej. Ja mam robić tylko za akuszerkę, katalizator i kokon, z którego wykluje się kiedyś mądra, świadoma siebie osobowość.

Więc na to, że ja i Kuba, nie miałam wpływu. Tak miało być: podstemplowane, podpisane.

***

Bach!

Tofi ciężko zeskoczyła z półki w garderobie. Odruchowo osłoniłam twój sen dłońmi, ale usłyszałeś i zareagowałeś oburzoną czkawką.

Twoje istnienie wewnątrz jest nienazwanym cudem, ale ta czkawka taka śmieszna, zwyczajna taka.

Niech tam świat sobie pędzi na złamanie karku, podganiany przeliczanym na pieniądze czasem. Niech oklipsowani technologią ludzie myślą, że mierzą puls rzeczywistości, że znaleźli jej sens, swój sens.

Ja oduczyłam się spieszyć. Właśnie robię nic i jednocześnie wszystko.

Ogarniam dłońmi twoją czkawkę — nasz wspólny sukces i sens.

Z Kubą jesteśmy — pisała Agata w dzienniku — świadomi swoich niemożności, świadomi tego, że nie umiemy być ze sobą ani bez siebie. Wiem, że wiele w tym jest mojej winy. Wtedy w korytarzu to ja odebrałam bardzo bolesną lekcję od Kuby. Dowiedziałam się przykrej prawdy o sobie, która okazała się też moją prawdą.

— Nie nazywaj mnie więcej egoistą — powiedział wtedy. Spokojnie, choć wiedziała, że ma ochotę krzyczeć. — Ja chcę z wami być. Myślę o was, o nas, nie o sobie. Dla ciebie liczą się tylko twoje uczucia. Wszystko mnożysz i dzielisz przez siebie. Masz gdzieś mnie, dziecko, nie potrafisz zrobić nic, jeśli nie współgra to z twoim planem na życie.

Zamilkła. Wytrącił jej broń z ręki, taką miał rację.

— Nie chcesz, nie umiesz odkreślić grubą kreską tego, co było złe — ciągnął dalej, patrząc w okno. — Hołubisz siebie, skrzywdzoną Agatkę. Ile tak możesz? Rok, dwa czy piętnaście?

— Łatwo ci mówić. To nie ja cię skrzywdziłam, zdradziłam...

Podniósł wskazujący palec do góry i dziwnie się uśmiechnął.

— Jesteś pewna? Ten cały Michał to też wirtualny żart? Nie byłaś z nim, prawda? No, powiedz. — Popatrzył jej twardo w oczy i odczekał parę sekund.

Odwróciła wzrok.

— Nie, nie mów — „miłosiernie" zwolnił ją z udzielenia odpowiedzi. — Chyba nie chcę wiedzieć. Wolę rozumieć, że tobie też mógł przydarzyć się błąd.

To był nokaut. Agacie zrobiło się niedobrze od prawdy, którą poczęstował ją Kuba.

— Ja... Przepraszam. — Nic innego nie przyszło jej na myśl.

zapiski Agaty

W drugiej osobie najbardziej irytuje to, co przeszkadza nam w nas samych. Gdybym wcześniej usłyszała te słowa, nie zrozumiałabym ich. Ale mimo tego, że odbijałam się w Kubie jak w lustrze, nie potrafię zawrócić naszego związku na dawne tory lub choćby wtoczyć go na nowe, bezpieczne.

Noc i dzień.

Godziny rozciągnięte w najdłuższe w życiu minuty.

Ból i czas, w którym oczekuje się na kolejne jego nadejście.

Niewidoczny skalpel, dzielący ciało na części: paznokcie, brzuch, mózg.

I strach, najpotężniejszy w życiu strach, że jeśli tak wygląda umieranie...?

Wreszcie poród nie dziecka, ale bólu.

Powolna synteza ciała, podszyta w kroczu. Na podartą psychikę nie ma szwu.

Ignaś — 16 lutego 2010 roku. 52 cm, 3080 g.

Trudno rodzić dziecko komuś, kto na nie nie czeka. Ale jeszcze trudniej rodzić je do niepewności.

Moment, w którym przestaje się współistnieć z dzieckiem, jest dziwny. Ignaś nie jest już tylko mój. Z własnego wyboru wymeldował się z kawalerki brzucha ponad dwa tygodnie przed terminem. Nie czuję nic. Z niesamowitym spokojem obserwuję opuchniętą buzię, liczę paluszki w rączce. Nie poganiam się do macierzyństwa, pozwalam sobie na luksus czekania. Oddaję dziecko pielęgniarce i zasypiam, zanim zdążę pomyśleć, że chce mi się spać.

Zakorzeniam się. Ale właściwie to nie jest dobre określenie. Ja nie umiem się zakorzenić, wrosnąć w grunt. Jestem jak doniczkowa roślina. Z parapetu na półkę, z półki na komodę.

Wypuściłam pąk, który pobudza mnie do życia. Jeszcze nie umiem go kochać po tej stronie. Wszystkie te bajki: „nie mogłam powstrzymać łez, kiedy go pierwszy raz zobaczyłam", „pokochałam od pierwszego wejrzenia" — to literatura. To, co czuję, to nie miłość. To ZADZIWIENIE.

Przed chwilą byłam w ciąży. Teraz mam dziecko. Mam wrażenie, że tamto — dziewięciomiesięczne — zniknęło, a ja dostałam inne, na jakiś kolejny etap. Trzymam je w ramionach, próbując dopasować do niego imię wybrane dla mojego Ignasia.

— To naprawdę ty? — pytam głupio zaciśniętych rączek i kreseczek w nawiasach opuchniętych powiek.

Dzieci powinny rodzić się z imieniem wytatuowanym na skórze głowy, nadanym odgórnie, adekwatnie. Bo jak nazwać nienazwane?

Na razie nie myślę o tej odpowiedzialności. Odprawiam najpiękniejszą, najwłaśniejszą w życiu mszę. Klęczę całą sobą i jestem w tym tak prawdziwa, jak nigdy wcześniej.

W ołtarzu moich rąk kropla kosmosu — niepojęty, skondensowany świat.

***

Gdy otworzyła oczy, za oknem była już noc.

Zdziwiła się, bo chyba nigdy nie zdarzyło jej się zasnąć ze zmęczenia prawie na siedząco.

Zegar wskazywał osiemnastą z minutami. W sali było cicho; drugie łóżko od rana stało puste. Nocny stolik Agaty był zastawiony od brzegu do brzegu. W zamykanym pudełku leżały pokrojone owoce. Obok stał bidon, chyba z kompotem. Truskawkowym. I jeszcze jakieś ciasto. I... stary, niebieski samolot. Agata wzruszyła się na widok zabawki. Tyle lat czekała zamknięta w komodzie, a teraz wreszcie trafi w dziecięce rączki.

Odwróciła głowę w drugą stronę. Kuba siedział zamyślony nad szpitalnym łóżeczkiem dziecka, które spało spokojnie na boku. Owinięte w niebieski kocyk, zaczynało trzecią dobę życia na własny rachunek.

Jakie będzie to jego życie? — pomyślała ze smutkiem.

Ponad miesiąc temu dziecko Moniki urodziło się w poszarpany świat swoich rodziców. Ignaś przyszedł na świat niepewny, bolesny i trudny, w którym tak wiele miało zależeć od Agaty.

Od jakiegoś czasu próbowała na nowo poukładać siebie i Kubę w znajomy, bezpieczny obrazek. Nie wychodziło, między nią a mężem była luka, której w żaden sposób nie potrafiła wypełnić.

Dziecko poruszyło się i wyciągnęło w górę rączkę. Kuba, widząc że Agata nie śpi, wziął Ignasia na ręce i przysiadł na łóżku. Po raz pierwszy od długiego czasu słowa nie były potrzebne. Były wręcz śmiesznie zbędne.

Agatę wzruszył widok małej rączki zaciśniętej wokół palca Kuby. Nagle odniosła wrażenie... nie, była przekonana, że będzie dobrze. Próbowała wpasować siebie i Kubę w znane ramy z przeszłości. A to nie mogło się udać. Nic już nie będzie takie samo. Może będzie lepsze, może gorsze, ale nie takie samo.

Z ulgą pozostawiła ze starej układanki tylko dwa elementy: siebie i Kubę. Dołożyła puzzelek Ignasia. I zostawiła dużo wolnego miejsca na nowe doświadczenia i emocje, które kiedyś być może znów złożą się w całość.

Kraków — Kowary
7 maja 2011–18 października 2012